Introduction

This manual is designed to be used with the ten videotaped chapters based on *Somos así EN SUS MARCAS*. The videocassettes were filmed in Colombia and Mexico, featuring local native actors who, for the most part, are young men and women studying acting in high schools and universities in their respective countries.

Although authenticity was important, we did not want to fall into what might be described as the "slice of life" trap. We are well aware of the difficulty encountered by many teachers and students who have attempted to use ungraded videotaped materials in the foreign language classroom. The vocabulary and structures in the scenes of this video program are totally coordinated with the *Somos así EN SUS MARCAS* textbook, with the exception of some easily identifiable cognates and words that can clearly be understood from the context of the story. We have also adhered to the order of presentation of vocabulary and structures in *Somos así EN SUS MARCAS*. Vocabulary and structures appear in a specific video segment only after they have been introduced in the corresponding chapter of the textbook. Therefore, students should understand each scene after having studied the corresponding material in each chapter.

Each of the ten videotaped chapter episodes in this series is composed of the following elements:

1. a scene centered around vocabulary and structures presented in the corresponding chapter of *Somos así EN SUS MARCAS*

2. repetition of the initial scene featuring superimposed subtitles in Spanish

Scene—Initial Viewing

The ten chapter episodes in this video series have been designed to reinforce vocabulary and structures introduced in *Somos así EN SUS MARCAS*. To aid students' comprehension, the scenes are intended to be viewed several times after the corresponding chapter in the textbook has been covered. The scenes have been limited to an average of seven minutes in length in order to make multiple viewings feasible.

The initial viewing of a given scene might serve as a basis for a discussion in English in which students give their first impressions of what is going on, observe cultural similarities and differences, or the teacher might ask simple comprehension questions in Spanish. In subsequent viewings, students might first be asked to recall the characters' questions and then what answers they give. Finally, as students become more familiar with the situation, a conversation can be held in Spanish concerning not only what the characters say, but also what the attitudes are that underlie what is said and the important cultural contrasts observed.

If time permits, students may take the video characters' parts and act them out while the video is played with audio. As a subsequent step, students might be asked to continue to play the same roles in the classroom, where they can be interviewed by other members of the class and attempt to respond "in character."

To a creative teacher and imaginative students, there are virtually no limits to the uses for the basic scene. An important principle to bear in mind is that the teacher exercises control of the VCR, and not vice versa. The teacher can stop the cassette at any point, rewind and see something over again. He or she may even turn off the audio, the video or both in order to give students the best possible opportunity to learn.

Scene–Subtitled Version

The subtitled version of the scene is essentially identical to the first one, the difference being that the lines spoken by the characters are now superimposed in Spanish at the bottom of the screen. The subtitles are also identical to the printed version of each scene found in this manual. The subtitled version visually reinforces the first scene. Students should first become familiar with the unsubtitled version and then see the subtitled scene. In this way they must rely on their ears prior to having the added advantage of seeing the printed text in conjunction with the actions of the characters in the scene.

Activities

The remainder of this manual includes a variety of activities that are designed to check students' comprehension of the chapter episodes and to expand their knowledge of the Spanish-speaking world by exposing them to related topics taken from the Internet. Like the video scenes themselves, these activities are designed to coordinate with correspondingly numbered chapters in *Somos así EN SUS MARCAS*. Based on the vocabulary and structures used in the textbook and the corresponding scene, the activities may be assigned as written homework, done orally in class, or given as a quiz. An answer key for all the activities is located at the end of this manual.

Characters in the Video Series

Pablo–A Mexican foreign exchange student studying at the Simón Bolívar High School of the Performing Arts in Cartagena, Colombia. Pablo is witty, romantic, hardworking and persevering. He makes friends with Colombian classmates Roberto, Julia and Sara. When he falls in love with Sara, he exposes the shy, vulnerable side of his personality.

Julia–A drama student at the high school. From a middle-class family, Julia is friendly, outgoing and optimistic, and has a good relationship with her parents. She is Sara's best friend, and also makes friends with Pablo. When Julia falls in love with Roberto, she becomes a bit impulsive and self-centered.

Sara–A high school drama student. From a working-class family, Sara is Julia's best friend. She is quiet and reserved, but has a good sense of humor and is tenderhearted and sensitive to others' feelings.

Roberto–A high school music student. Roberto has a somewhat reserved personality and is a dreamer. He is at his best playing traditional and popular Colombian music on his saxophone and clarinet. Roberto becomes Julia's boyfriend after breaking up with Eva.

Elena–Sara's younger sister. Elena is fun loving, lively and a bit mischievous in contrast to her more reserved sister.

Eva–A drama student at the high school. Eva has a reputation for being the class flirt. She is jealous and calculating, and quite insincere.

Sra. Corrientes–Julia's middle-aged mother. Sra. Corrientes is a confident professional woman who works as a psychologist. She is understanding and affectionate, and has a good relationship with her daughter.

Sr. Castañeda–Julia's middle-aged father. Sr. Castañeda is a hardworking, straightforward man who owns a successful business. He has a friendly personality, and is a loving father.

Sra. Murillo–Sara's middle-aged mother. Sra. Murillo is a concerned and responsible parent. She is worried about her daughter's trip to Mexico.

Sra. Violeta Astorga–The drama teacher at Simón Bolívar High School of the Performing Arts. In her 30s, Sra. Astorga is a dynamic and creative teacher. While she is always willing to lend support and give advice to her students, she can also be demanding and knows how to discipline her students when necessary.

Sr. Augusto Torres–The principal at Simón Bolívar High School of the Performing Arts. Sr. Torres, of Spanish descent, is in his 40s. He is very expressive, funny, and is an experienced actor. Sr. Torres is well respected by the students and teachers alike.

Diego–A classmate at the high school. Diego becomes Eva's new boyfriend.

Mexican Cast

Sra. Castellanos–Pablo's middle-aged mother. Sra. Castellanos is a hardworking working-class woman who serves as head of her family while her husband is away working in the United States. She is also a devoted mother.

Marina–Pablo's younger sister. Studious and ambitious, Marina is a socially conscious young girl who is involved in an environmentalist group. She becomes friends with Sara when the Colombian students go to Mexico.

Jorge–Pablo's best friend in Mexico. Jorge is a bit arrogant and somewhat of a ladies' man.

Isabel–Spanish co-host with Pablo in the TV program *¡Somos así!*

Ana Mejía–Director of the TV program *¡Somos así!*

Synopses of Video Episodes

A brief description of the story and a summary of the content of each video episode of *Somos así EN SUS MARCAS* follows. A short description in Spanish also precedes each episode.

Story

In Cartagena de Indias, Colombia, the students of Simón Bolívar High School of the Performing Arts aspire to become professionals in the entertainment world. The students are seen in everyday situations that reflect home and school life in Colombia. Julia and Sara are best friends studying drama. Julia becomes interested in Roberto, a music student, even though he is going out with Eva. Meanwhile Pablo, a Mexican foreign exchange student, shows interest in Sara who is reticent to be his girlfriend, but who eventually becomes good friends with him. When Pablo receives news of an important casting for a new Mexican TV program, he decides to return to Mexico and leave behind his new friends in Colombia. The story continues in the next ten episodes of *Somos así LISTOS*.

Capítulo 1–¡Mucho gusto!

Julia and Sara are rehearsing a play in the park when Pablo, who's been watching them, suddenly appears and introduces himself. The girls are surprised to learn that he's a foreign exchange student who's studying at the same performing arts school. It's obvious that Pablo is infatuated with Sara. Julia invites Pablo to take part in their play.

Capítulo 2–En la escuela de arte

On the first day of the term, the principal introduces the course in the school theater. Sara is irritated by the late arrival of Pablo, who now has a part in their play. The principal introduces the students who are going to make presentations. Julia, Pablo and Sara perform a scene from a play. Then Roberto steps on stage and plays the saxophone, and Julia is captivated. Afterward Julia and Sara introduce their parents to Sra. Astorga, the drama teacher. Pablo introduces his friends Roberto and Eva to Sara and Julia.

Capítulo 3–¿Adónde vamos?

Sara and Elena are getting ready to go out when Pablo phones and tries to make a date with Sara. Sra. Murrillo tells her daughters when they're expected to be home. Julia, Sara and Elena meet at the wall to the old city. It's Saturday afternoon. They discuss where to go and finally decide on a Mexican restaurant. In the restaurant the girls are surprised to find Pablo working as a server. They order some typical Mexican dishes, and Pablo talks about Mexico, referring to the famous figures portrayed in the murals on the wall of the restaurant. Roberto comes in with Eva, who acts snotty and hostile, and obliges Roberto to leave with her. Julia and Elena express their dislike for Eva.

Capítulo 4–En clase

Students at Simón Bolívar High School of the Performing Arts are seen taking theater, dance and music classes. Before drama class begins, Pablo is reading a letter from his sister. He shows his friends some pictures of his family in Mexico and talks about them affectionately. Sara's becoming more interested in Pablo now. When the theater class starts, the students play a theater game that consists of acting out different moods and feelings. Eva flirts with Diego. Despite the tension between Eva and Julia, Julia invites Eva to her birthday party along with the others. Julia also invites Roberto who is pleased, but can't come.

Capítulo 5–¡Feliz cumpleaños!

At Julia's birthday party the students are dancing and having a good time. Pablo arrives and sings a traditional Mexican birthday song. His gift to Julia is a typical garment from Mexico. Pablo manages to get Sara to accept a date with him. She's to meet him at the restaurant. Julia then receives a surprise from Roberto–he plays her a birthday song on his clarinet as Julia watches from her balcony.

Capítulo 6–En la cocina

Sara and Julia visit Pablo at the restaurant. Pablo is disappointed to see Sara in the company of Julia, so he calls Roberto to ask for his help. The girls keep Pablo company as he finishes his chores. Sara helps out, and we see that Pablo is falling in love with her. Roberto arrives and invites Julia to go for a walk, leaving Sara and Pablo alone. Pablo explains his feelings to Sara. Sara replies that she likes him as a friend, but not as a boyfriend. Julia and Roberto talk in the park.

Capítulo 7–Un día en la playa

The students are enjoying a day at the beach. The school principal passes by and joins in a game of volleyball. Later, they dance to traditional Colombian music played by Roberto and his friends. Eva manages to make Roberto angry by dancing with her new friend Diego. Roberto leaves, interrupting the fun.

Capítulo 8–Una buena oportunidad

Sara and Elena are doing some housework when Pablo calls asking to see Sara. Elena volunteers to finish the chores so Pablo and Sara can meet for lunch. At a Spanish restaurant, they order a typical Spanish dish and the server explains what's involved in making it. Pablo talks about a casting for an important part in a Mexican TV program that would mean he'd have to return home. He's testing Sara, hoping she will ask him to stay. Instead, she encourages him to go. So Pablo decides to return to Mexico and try his luck. In another scene, Julia phones Roberto to express her concern for what happened on the beach.

Capítulo 9–¡Vamos de compras!

Julia and Roberto are sad about Pablo going back to Mexico. They decide to buy him a going-away present. In the store they run into Sara, who's had the same idea. They discuss buying different things for Pablo. Sara finally buys him a suitcase. Julia and Roberto joke together and buy each other presents, too. Sara insists that Pablo is making the right choice. Later, they all run into Eva and Diego who are sharing a soft drink at an outdoor cafe.

Capítulo 10–La función de teatro

After Sara, Julia and Pablo perform a theater piece that reflects the relationships between the main characters, the theater teacher and principal congratulate the actors on a job well done. Eva is envious and disdainful and receives the reproach of teachers and even her new boyfriend. In another scene, Pablo and Sara say their good-byes. Sara gives him a present and is obviously sad to see him go. In the last scene, Roberto and Julia watch the sunset from the wall in the old city and talk about their feelings for each other.

Video Script

Capítulo 1

¡Mucho gusto!

Julia y Sara ensayan en un parque una pieza de teatro. Aparece súbitamente Pablo, que las observaba escondido. Cada uno se presenta y se dan cuenta que los tres están inscritos en la misma escuela de arte como alumnos de teatro.

NARRADOR: Aquí está Colombia. Y aquí, en Colombia, está Cartagena de Indias, una ciudad costera, una bonita y antigua ciudad.

(En el parque se hallan Sara y Julia, ensayando una obra de teatro.)

SARA: Es medianoche. ¡Luz, amo a Luz!

(Entra Julia.)

JULIA:	¡Hola, Héctor!
SARA:	¡Luz!
JULIA:	Sí. Soy yo.
SARA:	Es medianoche.
JULIA:	Sí, es medianoche.
SARA:	¡La luna!
JULIA:	La luna. ¿Y?
SARA:	¡Es muy bella!
JULIA:	Es muy bella.
SARA:	Eres muy bella, Luz.
JULIA:	Soy muy bella.
SARA:	Yo te amo, Luz.
JULIA:	¿Me amas?
SARA:	Sí. Estoy muy mal.
JULIA:	Adiós, Héctor.
SARA:	¡No!

(Entra en escena Pablo.)

PABLO:	¡Hola Héctor!
SARA:	Hola, me llamo Sara.
PABLO:	Soy Pablo, Pablo Alba. Perdón, señoritas.
JULIA:	¡Hola! Yo soy Julia, mucho gusto. ¿Qué tal, Pablo?
PABLO:	Muy bien, encantado. ¿Son ustedes actrices?
JULIA:	Sí. Somos estudiantes de la escuela de arte Simón Bolívar.
PABLO:	¿De la escuela de arte Simón Bolívar?
JULIA:	Sí.
PABLO:	Yo también soy actor y también estudiante de la escuela de arte Simón Bolívar.
SARA:	¿Ah, sí? ¿Y cuántos años tienes?
PABLO:	Veintidós.
SARA:	¿Tienes veintidós años y estudias en la escuela de arte?
PABLO:	Sí, tengo mucho talento. ¡Luz! ¡Eres muy bella, Luz! ¡La luna! ¿Eh?
JULIA:	¿Y de dónde eres, Pablo? Tu acento no es de aquí, de Colombia.
PABLO:	¡Ah, el acento! No, no soy de aquí, de Colombia.
JULIA:	¿De dónde eres?
PABLO:	Soy de México.
SARA:	¡Ah, de México!
JULIA:	¡México!
PABLO:	Y ustedes, ¿de dónde son?
JULIA:	De aquí, de Cartagena.
SARA:	Julia...
PABLO:	Las clases empiezan el dos de febrero.
JULIA:	Sí, empiezan en febrero.
SARA:	Julia, son las siete.
PABLO:	Pablo Alba. A, ele, be, a. Seis, seis, seis, siete, cero, uno, cinco. ¿Me llamas?
SARA:	¡Julia, son las siete y cinco!
JULIA:	¡Sara, él es Héctor!
SARA:	Muy bien, Héctor…
PABLO:	¡Luz!

Capítulo 2

En la escuela de arte

Primer día de clase, en el auditorio de la escuela. El director presenta el curso. A continuación suben al escenario Julia, Sara y Pablo, y escenifican su pieza teatral. La pieza refleja los amores y desamores de los actores en la vida real (Pablo ama a Sara y ésta lo rechaza). A continuación sube a tocar Roberto e interpreta con el saxo una pieza. Julia queda muy impresionada por Roberto. Una segunda escena se desarrolla afuera del teatro, donde están el público, los alumnos, los padres y los profesores. Julia presenta a sus padres. En una tercera escena Pablo hace las presentaciones entre Julia, Sara y Roberto. Luego aparece Eva, quien se presenta como la novia de Roberto y se muestra arrogante y desagradable.

(Julia y Sara se encuentran mirando el escenario.)

SARA:	¿Qué hora es?
JULIA:	Las once y cuarto.
SARA:	¿Y Pablo?

(Entra Augusto Torres, el director.)

DIRECTOR:	¡Hola amigos, hola! Bueno, pues... Me llamo Augusto Torres y soy el nuevo director de la escuela de arte Simón Bolívar. ¡Ah, sí, la pizarra! Bueno, mi nombre se escribe...Tiza... ¿No hay tiza?
PÚBLICO:	¡Ahí!
DIRECTOR:	¡Ah, aquí está la tiza, sí, sí!
SARA:	¿Y Pablo?
JULIA:	Está aquí.

(Entra Pablo.)

PABLO:	Hola. Lo siento ¿El director?
SARA:	Sí.
DIRECTOR:	Augusto Torres. Soy español... Las clases empiezan hoy, dos de febrero...
PABLO:	¿De dónde es? No es colombiano.
DIRECTOR:	...terminan... ¿Mi agenda? Mi agenda...el treinta de junio.
PABLO:	Sara, un papel, por favor.
DIRECTOR:	Bueno, las clases empiezan... ¿A qué hora empiezan? Bien.
PABLO:	¡Qué simpático es el director!
JULIA:	Sí, es muy simpático.

DIRECTOR:	El sábado…no hay clases. Y el domingo tampoco. El domingo tampoco, sí. Bien, amigos… Con ustedes, Julia Castañeda, Sara Beltrán, Pablo Alba, estudiantes de teatro, con la obra de teatro "El bosque encantado".

(Entran Pablo y Sara.)

PABLO:	Me ama. No me ama. Me ama, no me ama. Me ama.
SARA:	No te amo.
PABLO:	¡Luz! ¿No me amas?
SARA:	No. No.
PABLO:	Eres muy bella.
SARA:	¿Soy muy bella?
PABLO:	¡Luz! Te amo.
SARA:	¡Adiós!
PABLO:	¡No te vayas! Estoy muy mal.

(Sara sale. Entra Julia.)

JULIA:	¡Hola, Héctor! ¿Cómo estás?
PABLO:	Hola, Flor. Estoy muy mal. Luz no me ama.
JULIA:	Héctor...
PABLO:	¡Luz!
JULIA:	Héctor...
DIRECTOR:	¡Gracias amigos! ¡Gracias, Julia, Sara y Pablo! Y ahora, con ustedes, Roberto Medina, un estudiante de música.

(Sale el director y entra Roberto al escenario con su saxofón. Roberto interpreta una pieza de saxo.)

PABLO:	¿Te gusta?
JULIA:	Sí, me gusta mucho. ¿Quién es?
PABLO:	Es Roberto Medina. Es mi amigo.
JULIA:	¡Roberto Medina! Tu amigo. ¿Y cuántos años tiene?
PABLO:	Tiene diecisiete años.
JULIA:	¿Y de dónde es?
PABLO:	De aquí, de Cartagena.
JULIA:	¿Y cuándo...?
PABLO:	Julia...

(Se desarrolla una tertulia en la que participan los padres de Julia. Entran conversando la señora Astorga, Julia y Sara.)

SRA. ASTORGA:	Felicitaciones, muchachas.
SARA:	Gracias, profesora.
JULIA:	Gracias.

(La Sra. Astorga, Sara y Julia se acercan al señor Castañeda y la señora Corrientes.)

JULIA:	Profesora, mis padres.
SRA. ASTORGA:	Mucho gusto. Soy Violeta Astorga, la profesora de teatro.
SRA. CORRIENTES:	Soy Lucía, la mamá de Julia.
SR. CASTAÑEDA:	Soy José Castañeda, papá de Julia. Mucho gusto.
SRA. ASTORGA:	Mucho gusto. La obra me gusta mucho.
SR. CASTAÑEDA:	A mí también.
SRA. ASTORGA:	Las muchachas son muy buenas actrices.
SRA. CASTAÑEDA:	Julia, de aquí a Hollywood.
JULIA:	¡Mamá!

(Entra Pablo.)

PABLO:	Perdón, perdón. Julia, Sara…Roberto… Mi amigo Roberto Medina. Julia, Sara… Estudiante de música.
ROBERTO:	Mucho gusto.
JULIA:	Hola, Roberto. Me gusta mucho tu música.
ROBERTO:	Muchas gracias. La obra de teatro es divertida, me gusta mucho.
JULIA:	¿Sí?
ROBERTO:	Sí, es muy buena. Ustedes son muy buenos actores.

(Entra Eva.)

EVA:	¡Hola!
SARA:	¡Hola!
ROBERTO:	Sara, Julia... Eva, mi novia.
CHICAS:	¡Hola!
PABLO:	¿Te gusta la obra de teatro, Eva?
EVA:	No está mal.
ROBERTO:	No. Está muy, muy bien.
EVA:	Regular.
ROBERTO:	Nos vamos.
PABLO:	Hasta luego, Roberto.
ROBERTO:	Mucho gusto.
JULIA:	¡Tiene novia!
SARA:	"No está mal, regular." ¡Vamos, Julia!
PABLO:	¿Te llamo esta tarde?
SARA:	No, tengo trabajo en casa.
PABLO:	Comprendo. Trabajo, trabajo... Hasta mañana, chicas.

Capítulo 3

¿Adónde vamos?

> 1ª escena: En el restaurante mexicano. Pablo, tras dudar mucho, llama a Sara para proponerle una cita, la cual ella rechaza.
>
> 2ª escena: Sara y Elena se disponen a salir de casa. Telefonea Pablo para proponerle una cita a Sara, pero ella se niega a salir con él.
>
> 3ª escena: Julia, Sara y Elena se encuentran en la muralla. Es sábado por la tarde. Discuten adónde ir. Al final, deciden cenar en un restaurante mexicano.
>
> 4ª escena: Las chicas entran en el restaurante, y descubren que en él trabaja Pablo como mesero. Pablo charla con las chicas y entonces llegan Roberto y Eva. Eva se comporta con agresividad y mala educación, y obliga a Roberto a marcharse enseguida. Cuando se han marchado, Julia y Elena manifiestan su antipatía por Eva.

PABLO:	Hola, Sara. ¿Qué tal? Soy Pablo Alba. No, no. ¡Hola, Sara! ¿Sabes quién soy? Soy Pablo Alba. Tampoco. Vamos a ver. Hola, Sara, soy Pablo Alba. Vamos a ver.

(En la sala de casa de Sara ella y Elena están preparándose para salir. Es una tarde de fin de semana y tienen una cita.)

SARA:	¿Aló?
PABLO:	¿Bueno? ¿Sara? Soy Pablo Alba.
SARA:	Hola, Pablo.
PABLO:	¿Quieres ir hoy al cine?
SARA:	Hoy no. Imposible. Tengo una cita. Nos vemos el lunes en la escuela. Adiós.
ELENA:	Pablo, ¿eh? ¿Tu novio?
SARA:	Pablo es un amigo. ¡Elena, nos vamos!
ELENA:	Un momento, un momento.
SARA:	Elena, es la una y media... ¿Nos vamos?
ELENA:	Un momento.
SARA:	¡Elena!
SRA. MURILLO:	¿Y adónde van?
SARA:	Vamos a ver a Julia.
SRA. MURILLO:	Bueno, pero a las siete en casa.
SARA:	Sí, mamá.
SRA. MURILLO:	No a las ocho, tampoco a las siete y media. Tu abuelo viene a las siete.
SARA:	Sí, mamá. Adiós.
SRA. MURILLO:	Adiós.
SARA:	¡Elena!
ELENA:	Sí, sí.
ELENA:	Hasta luego, mamá.
SRA. MURILLO:	Hasta luego, hijas.

(Julia está sentada en el muro, esperando. Aparecen Sara y Julia.)

SARA:	¡Hola, Julia!
JULIA:	¡Hola, Sara!
SARA:	Te presento a mi hermana Elena.
JULIA:	Hola, Elena, ¿qué tal?
ELENA:	Hola, Julia, ¿qué tal?
JULIA:	Muy bien.
SARA:	Julia es una amiga de la escuela de arte.
ELENA:	¡Qué chévere! ¿No?
JULIA:	Bueno, ¿adónde vamos?
SARA:	Vamos a comer.
JULIA:	¿Por qué no vamos a un restaurante mexicano? ¿Les gusta la comida mexicana?
ELENA:	Sí, me gusta mucho la comida mexicana.
JULIA:	Hay un restaurante mexicano muy bueno, cerca de la escuela.
ELENA:	¿Es caro?
JULIA:	No, no es caro.
ELENA:	¿Vamos a tomar un taxi?
SARA:	No, Elena. Es caro. Vamos a pie.
ELENA:	A pie, no. Está muy lejos. ¿Vamos en bus?
JULIA:	Vamos en bus.
ELENA:	¡De acuerdo!

(Entran Julia y Elena.)

ELENA:	¡Qué bonito!
SARA:	Sí, la música es muy bonita.

(Entra Pablo.)

PABLO:	¿Les gusta?
CHICAS:	¡Pablo!
SARA:	¡Qué sorpresa!
PABLO:	¿Tu cita, Sara?
SARA:	Pues sí. ¿Trabajas aquí?
PABLO:	Sí, trabajo de mesero.
ELENA:	Pablo, ¿eh? Tu novio.
SARA:	Pablo, te presento a mi hermana Elena.
PABLO:	Encantado.
ELENA:	Mucho gusto, Pablo.
PABLO:	¿Allí?
ELENA:	Sí, chévere.
PABLO:	Siéntense, por favor.
SARA:	Gracias.

PABLO:	Hay mole poblano, típico de México. Está muy bueno.
ELENA:	¡Mole! ¡Qué bueno!
JULIA:	¿Y hay enchiladas de pollo?
PABLO:	Sí, están muy buenas.
JULIA:	Pues, yo quiero enchiladas de pollo.
ELENA:	Yo también. Y también mole...
SARA:	Elena... Yo quiero unos tamales.
ELENA:	¿Tienes jugo de naranja?
PABLO:	Sí, claro.
ELENA:	¡Qué rico! Jugo de naranja. Mi jugo favorito.
JULIA:	Yo quiero…un refresco.
SARA:	Y yo, un agua mineral.
PABLO:	Muy bien, muy bien. "Soy puro mexicano, nacido en esta tierra. En esta linda tierra, que es mi linda nación."
SARA Y PABLO:	"Soy puro mexicano, nacido en esta tierra. En esta linda tierra, que es mi linda nación."
SARA Y JULIA:	"Soy puro mexicano, nacido en esta tierra. En esta linda tierra, que es mi linda nación."
ELENA:	¡Miren! ¡Qué bonitos murales!
JULIA:	Sí, son muy bonitos.

(Entra Pablo.)

ELENA:	¡Qué bonitos murales!
PABLO:	Es Diego Rivera, un pintor mexicano.
ELENA:	¿Y ella?
PABLO:	Ella es Frida Kahlo, también pintora.
ELENA:	Tú, ¿estudias y trabajas?
PABLO:	Sí.
SARA:	¡Elena! ¿Es muy difícil estudiar y trabajar también?
PABLO:	No. Trabajo los fines de semana para ahorrar. Y me gusta trabajar en el restaurante.

(Entra Roberto, acompañado por Eva, con una guitarra dentro de su funda.)

ROBERTO:	¡Hola, Pablo!
JULIA:	Hola, Roberto.
ROBERTO:	Hola, Julia.
JULIA:	¿Qué tal?
SARA:	Hola, Roberto, ésta es mi hermana Elena.
ROBERTO:	¡Qué bueno! Ustedes aquí.
JULIA:	¿Y tú, qué haces aquí?
ROBERTO:	Tengo la guitarra de Pablo. Pablo, tu guitarra.
PABLO:	Gracias, Roberto. Perdón, tengo trabajo.
SARA:	Bueno.
PABLO:	Hola, Eva.

(Sale Pablo. Entra Eva.)

EVA:	¡Hola! Los actores. Los actores de la escuela Simón Bolívar.
JULIA:	¡Hola! Siéntense, por favor.
EVA:	No, gracias. Tenemos prisa. ¿Verdad, Roberto?
ROBERTO:	Bueno...
JULIA:	¿Y no comen?
EVA:	No, no me gusta la comida mexicana.
JULIA:	Pues es muy buena.
EVA:	Tenemos prisa. ¿Vamos?
ROBERTO:	¡Hasta luego!

(Roberto y Eva salen.)

ELENA:	¿Quién es ella?
SARA:	Es Eva. Ella estudia en la escuela de arte.
ELENA:	"No me gusta la comida mexicana. Vamos Roberto..." A mí no me gusta.
JULIA:	A mí tampoco.
SARA:	¡Salsa picante!
ELENA:	¡Sara!

Capítulo 4

En clase

Pablo les muestra a sus amigas unas fotos de su familia en México, y habla de cada uno de los miembros de su familia. A continuación se inicia la clase de teatro. Se trata de escenificar diferentes estados de ánimo. Esto nos permitirá conocer mejor a los personajes y sus relaciones. Eva hostiga a Julia y coquetea con otro estudiante, Diego. En una segunda escena Julia va invitando a sus compañeros a su fiesta de cumpleaños, incluida Eva. Finalmente aparece Roberto y Julia lo invita también. Roberto le anuncia que no podrá ir.

(En el aula se hallan Pablo y la Sra. Astorga. Ensayan una escenificación del Quijote.)

PABLO:	Voy a atacar al gigante, Sancho.
SRA. ASTORGA:	Pablo, estás enojado, muy enojado. Habla enojado, proyecta la voz. ¡Vamos!
PABLO:	¡Voy a atacar al gigante, Sancho!
SRA. ASTORGA:	No es un gigante, don Quijote, es un molino.
PABLO:	Es un gigante, Sancho, voy a atacar al gigante.

(En el aula se hallan la profesora de teatro y alumnas, entre ellas Sara y Eva.)

PROFESORA: Movemos la pollera en ocho tiempos. Uno, dos, tres, cuatro, cinco, seis, siete, ocho. ¿De acuerdo? ¡Vamos, ahora, niñas, con gracia! ¡Música! ¡Así no, Eva! ¡Con gracia, así!

EVA: ¡Es muy difícil!

PROFESORA: No es difícil. ¡Vamos! Uno, dos, lento, tres, cuatro. ¡Muy bien, Sara, muy bien! ¡De nuevo todas! Con gracia. Uno, dos, tres, cuatro, cinco, seis, siete, ocho.

(Se oye la voz de Marina leyendo su carta.)

MARINA: Aquí todo va bien. Mamá trabaja todo el día, en la escuela. Papá está bien, en Los Ángeles. Él trabaja mucho también, y extraña a la familia. Yo estudio mucho. Tengo clases todos los días. De las nueve de la mañana a las seis de la tarde. Los fines de semana estudio, pero también salgo con los amigos. Vamos al cine, o a la discoteca. Y tú, Pablo, ¿qué haces? ¿Estudias mucho? ¿Es difícil estudiar y trabajar? ¿Te gusta tu trabajo en el restaurante mexicano? Te extraño, Pablo. Hasta pronto.

(Entran sigilosamente Julia y Sara. Se acercan a Pablo y Sara le tapa los ojos.)

SARA: ¿Quién soy?

PABLO: A ver… Mi amiga preferida, Sara.

JULIA: ¿Y yo?

PABLO: Mi amiga favorita, Julia.

SARA: ¿Qué haces?

PABLO: Leo una carta de mi hermana.

SARA: ¿Tienes una hermana?

PABLO: Sí, se llama Marina. Vive en México, en el D.F.

JULIA: ¿D.F.?

PABLO: Sí. D.F. quiere decir distrito federal. Nosotros así llamamos a la Ciudad de México.

JULIA: D.F.

PABLO: Sí. Mi hermana, Marina, vive en el D.F. con mi mamá.

SARA: Marina, es un nombre muy bonito.

PABLO: Sí. Y ella es muy bonita también. Es más, aquí tengo unas fotos.

SARA: Sí, es verdad. Es muy bonita.

PABLO: Estás muy bonita, Sara.

SARA: Gracias Pablo, eres muy amable.

JULIA: ¿Y yo?

PABLO: Tú siempre estás muy bonita.

SARA: ¿Y qué hace Marina?

PABLO: Estudia. Quiere ser profesora. Es muy inteligente.

JULIA: ¿Cuántos años tiene?

PABLO:	Tiene quince años. Miren, miren, miren… Ésta es mi mamá. Se llama Rosario. Es profesora de un instituto.
SARA:	¿Y tu papá?
PABLO:	Vive en Estados Unidos, en Los Ángeles. Allí trabaja.
SARA:	¿Extrañas mucho a tu familia, Pablo?
PAxxBLO:	Sí, claro. Pero estoy contento. Me gusta mucho Cartagena. Me gusta mucho la escuela, además tengo muy buenos amigos.
SARA:	Gracias Pablo. Tu también eres mi amigo favorito.

(Entra Eva.)

EVA:	¡Hola! Mi mexicano favorito.
PABLO:	Hola, Eva.
EVA:	¡Hola a todos!
SARA:	Hola.
EVA:	¡Fotos! ¿Es tu novia mexicana?
PABLO:	No, es mi hermana.

(Entran otros alumnos y la Sra. Astorga, que reparte unas cartulinas.)

SRA. ASTORGA:	¡Vamos, vamos a trabajar! ¡Siéntense! Hoy vamos a jugar.
EVA:	¿A jugar?
SRA. ASTORGA:	Sí, a un juego de teatro. A ver. Toma. Toma. Para ti. Para ti. Toma. Para ti. Y toma... Bueno, es así. ¿Cómo estoy?
DIEGO:	Cansada.
SRA. ASTORGA:	Muy bien, Diego. Lee tu carta. ¿Cómo estás tú? ¿Cómo está Diego?
EVA:	Diego está enfermo.
SRA. ASTORGA:	Usa todo tu cuerpo, Diego. Muy bien. ¿Cómo está Diego?
SARA:	Diego está cansado.
SRA. ASTORGA:	Es verdad. Y ahora... Tú, Julia. ¿Cómo estás? ¿Cómo está Julia?
DIEGO:	Está aburrida.
EVA:	Está enamorada. Y ahora está enojada.
SARA:	No, Julia está triste.
SRA. ASTORGA:	Muy bien.
EVA:	Y ahora yo.
SARA:	Eva es fría.
JULIA:	¿Eva está enamorada de Diego?
EVA:	Julia, yo soy elegante.
DIEGO:	Sí, Eva es elegante.
SRA. ASTORGA:	Muy bien, muchachos.

(En el aula se hallan el profesor con Roberto y Diego, ensayando con instrumentos.)

PROFESOR: El ritmo de cumbia se toca así. Con las manos sobre el centro del tambor, lento. A ver, Roberto, ahora tú. Lento. Y con las manos sobre el centro del tambor.

ROBERTO: ¿Así?

PROFESOR: Sí, muy bien. Ahora lo hacemos todos. Muy bien, me gusta. Ahora ustedes tocan y yo canto una cumbia. "La cumbia en Colombia... Se baila sabroso..."

(Julia reparte tarjetas entre sus compañeros que salen.)

JULIA: Eva, los invito a mi cumpleaños. Es el sábado en mi casa. Los espero.

EVA: ¿Vas a ir, Diego?

DIEGO: Claro. Gracias, Julia.

EVA: Hasta el sábado.

JULIA: Adiós.

(Salen Eva y Diego. Julia sigue repartiendo invitaciones.)

JULIA: Hola. Las invito a mi cumpleaños.

CHICAS: Gracias.

(Entra Roberto.)

JULIA: Hola, Roberto.

ROBERTO: Hola, Julia.

JULIA: Quiero invitarte a mi cumpleaños.

ROBERTO: Gracias, muy amable. ¿Cuándo es?

JULIA: Sábado. Te espero… También invito a Eva.

ROBERTO: ¿El sábado? Lo siento. Tengo un concierto.

JULIA: ¿Un concierto? ¡Qué bien! Me gusta mucho tu música.

ROBERTO: Gracias por la invitación. Y lo siento.

JULIA: Yo también lo siento.

ROBERTO: Hasta luego. Feliz cumpleaños. ¿Sabes dónde está Eva?

JULIA: Sí, está allí. Con Diego…

Capítulo 5

¡Feliz cumpleaños!

Es la fiesta de cumpleaños de Julia. Pablo canta una canción mexicana de cumpleaños y luego narra como es su vida. A continuación Pablo consigue hablar a solas con Sara y le propone una cita, que ella acepta. Finalmente, Roberto toca desde la calle una serenata para Julia.

TODOS:	"Cumpleños feliz, te deseamos todos, cumpleaños feliz." ¡Bravo!
DIEGO:	¡Felicitaciones!
JULIA:	Gracias.
EVA:	Felicidades, Julia.
JULIA:	Muchas gracias.
INVITADA:	Feliz cumpleaños.
JULIA:	Gracias.
INVITADA:	Felicidades.
ELENA:	Julia, eres una vieja.
JULIA:	Elena, respeto a los mayores. Es Pablo.
ELENA:	Tu mexicano favorito. Voy a abrir la puerta.

(Pablo entra cantando "Las mañanitas", canción tradicional de cumpleaños mexicana.)

PABLO:	"Estas son las mañanitas que cantaba el rey David, a las muchachas bonitas se las cantamos aquí. Despierta, Julia, despierta, mira que ya amaneció, ya los pajarillos cantan la luna ya se metió."
JULIA:	Gracias, Pablo, es muy bonita.
PABLO:	Es una canción mexicana de cumpleaños.
SARA:	Es una canción muy, muy bonita. ¡Tú cantas muy bien!
PABLO:	Muchas gracias.
SARA:	Voy a poner las flores en agua.
JULIA:	Pablo, te presento a mi papá.
SR. CASTAÑEDA:	José Castañeda, encantado.
PABLO:	Mucho gusto, señor.
JULIA:	Y a mi mamá.
SRA. CASTAÑEDA:	Soy Lucía, mucho gusto.
PABLO:	Encantado, señora.
JULIA:	Es Pablo Alba, un compañero de la escuela de arte.
SRA. CORRIENTES:	Muy bien. Siéntate, Pablo.
PABLO:	Gracias.
SRA. CORRIENTES:	¿Quieres un jugo, o un refresco?
PABLO:	Sí, por favor. Un poco de jugo de naranja.
SR. CASTAÑEDA:	¿Tú eres músico, Pablo?
PABLO:	Bueno, canto. Estudio aquí, en Cartagena, con una beca. Los fines de semana trabajo en un restaurante mexicano.

SR. CASTAÑEDA:	Tú eres mexicano, ¿verdad?
PABLO:	Sí, claro. ¿Se nota?
SRA. CORRIENTES:	No.
SR. CASTAÑEDA:	Estudias y trabajas. ¿Es difícil?
PABLO:	Bueno, sí, un poco difícil, a veces.
SR. CASTAÑEDA:	Vivir es trabajar.
SRA. CORRIENTES:	Y amar y divertirse...
SR. CASTAÑEDA:	Es cierto, Lucía.
SRA. CORRIENTES:	Trabajas todo el día, José. Trabajar es tu adicción.
SR. CASTAÑEDA:	Habla la sicóloga.
PABLO:	¿Es usted sicóloga, doña Lucía?
JULIA:	Sí. Mi mamá es sicóloga. Tengo el sicólogo en casa.
SRA. CORRIENTES:	Sí, soy sicóloga. Y además soy adivina. A ver, Pablo. Tu cumpleaños es en febrero o en marzo.
PABLO:	Sí. ¿Cómo lo sabe?
SRA. CORRIENTES:	Porque eres piscis.
PABLO:	¿Cómo lo sabe?
SRA. CORRIENTES:	Porque los piscis son abiertos, amables, generosos.
PABLO:	Muchas gracias.

(Se oye una música de vallenato.)

PABLO:	Julia, es para ti. ¡Feliz cumpleaños!
JULIA:	Para mí. ¡Qué bien! ¿Qué es?
PABLO:	Es un huipil, es un traje típico de México. Del sur, éste es de Oaxaca.
JULIA:	¡Qué bonito, Pablo!
SARA:	Sí, es muy, muy bonito.
PABLO:	Me gusta mucho la música.
SARA:	Es vallenato. Música típica de Colombia.
PABLO:	¿Bailas?
SARA:	De acuerdo.
PABLO:	Mañana trabajo en el restaurante.
SARA:	¿Y?
PABLO:	¿Quieres venir a verme?
SARA:	¿Al restaurante?
PABLO:	Sí. Termino a las cinco.
SARA:	De acuerdo, a las cinco.

(Los invitados siguen bailando. Se oye una música de saxofón.)

JULIA:	¿Oyes, papá?
SR. CASTAÑEDA:	Sí. ¿Qué es?
JULIA:	¿Un saxofón?
SR. CASTAÑEDA:	Puede ser.
JULIA:	Voy a ver.

(Julia se asoma y mira hacia la calle, donde está Roberto tocando.)

JULIA:	¡Qué sorpresa, Roberto!
ROBERTO:	Feliz cumpleaños, Julia. ¿Te gusta?
JULIA:	Me gusta mucho. ¡Entra!
ROBERTO:	Lo siento, Julia. Voy al concierto.
JULIA:	Gracias por el regalo.

Capítulo 6

En la cocina

Sara y Julia visitan a Pablo en el restaurante. Era la cita que Pablo había concertado con Sara y ella aparece acompañada. Pablo llama a Roberto para que vaya a llevarse a Julia. Roberto así lo hace. Al quedarse solo con Sara, Pablo le propone ser novios. Sara lo rechaza, aunque con ternura. Julia y Roberto pasean por Cartagena. Hablan de sí mismos. Roberto se refiere a su amor por Eva, su novia, pero se ve que no es muy feliz.

PABLO:	"Soy puro mexicano, nacido en esta tierra, en esta linda tierra, que es mi linda nación."

(Entran Julia y Sara.)

SARA:	Hola, Pablo.
PABLO:	Hola, Sara.
JULIA:	Hola, Pablo.
PABLO:	Hola, Julia. Bienvenidas. ¡La cocina! ¡El reino de Pablo!
SARA:	¡Su majestad! ¡El rey Pablo! ¡Aquí hay mucho trabajo, Pablo!
PABLO:	No, no es mucho trabajo. Es el trabajo de siempre.
JULIA:	¿No es mucho?
PABLO:	Pues no. Tengo que recoger todo. Lavar: cubiertos, vasos, platos...
SARA:	Te ayudo, Pablo.
PABLO:	No, no, no. El rey Pablo no necesita ayuda. Él es feliz en su reino de la cocina. Oye, Sara, ¿qué hace Julia aquí?
SARA:	Julia es mi amiga. Tú también eres mi amigo, ¿no?
PABLO:	Claro. Perdón. Tengo que llamar por teléfono.
SARA:	Aquí hay mucho trabajo.

(Pablo telefonea.)

PABLO:	¿Bueno? Hola, Roberto. ¿Tienes el disco de vallenato? ¿Sí? ¿Puedes venir aquí al restaurante? Es muy importante. Necesito tu ayuda. Ahora. Sí. Muy bien, bueno, te espero. Adiós.

(Entra Pablo. Sara ha empezado a lavar la vajilla.)

PABLO:	¡Sara! ¿Qué haces?
SARA:	Lavo. Te ayudo.
PABLO:	El rey Pablo no necesita ayuda.
SARA:	Sí, pero la reina Sara quiere ayudar al rey Pablo.
JULIA:	¡Hay quesadillas!
PABLO:	¿No quieren comer?
SARA:	No, no tengo hambre, gracias.
JULIA:	Pablo, ¿y desde cuándo trabajas en el restaurante?
PABLO:	Desde mi llegada a Cartagena, en enero, un mes antes de empezar las clases.
JULIA:	¡Las quesadillas están muy buenas!
PABLO:	¡Sara, qué bien lavas!
SARA:	Sí. Tengo mucha experiencia. En casa siempre hacía el trabajo doméstico.
PABLO:	¡Ah! ¿Sí?
SARA:	Sí, mi mamá trabaja todo el día. Por suerte Elena me ayuda a veces.
JULIA:	Su casa es muy bonita. Tiene un patio muy grande.
PABLO:	Mi casa, en México, también tiene un patio muy grande.
SARA:	¡México! Me gustaría mucho conocer México. Dicen que es muy bonito.
PABLO:	México es muy bonito. ¡Ay mi México! Pásame esos cubiertos, por favor.
SARA:	Cuchara, tenedor…
PABLO:	Cuchara, tenedor y cuchillo…
SARA:	Pablo Caruso.
PABLO:	Ahora, los vasos.
SARA:	Los vasos...
PABLO:	Pablo, un mesero prodigioso.
SARA:	¡Pablo, estás loco!

(Entra Roberto.)

JULIA:	¡Roberto!
ROBERTO:	Hola, Julia.
JULIA:	Hola.
ROBERTO:	Hola, Sara.
SARA:	Hola.
PABLO:	¡Roberto!
ROBERTO:	¿Qué hacen ustedes aquí?
SARA:	Ayudamos a Pablo.
JULIA:	Tú ayudas a Pablo, yo como.
ROBERTO:	Pablo, tu disco. Julia, hace una tarde fantástica. Yo pienso salir a caminar.
JULIA:	¡Buena idea, vamos! Adiós.
TODOS:	¡Adiós!

JULIA Y ROBERTO:	¡Adiós!
SARA:	Bueno… Yo debo ir a casa.
PABLO:	Sara… Espera un momento, por favor. ¿Me ayudas con los vasos? Sara…
SARA:	Sí, Pablo.
PABLO:	¿Pongo el disco?
SARA:	No, Pablo. Debo ir a casa.
PABLO:	Oye, Sara. Eres una chica muy especial.
SARA:	¿De verdad?
PABLO:	Oye, Sara. Me gustas mucho.
SARA:	Sí, Pablo…
PABLO:	De verdad, me gustas mucho. ¿Quieres ser mi novia?
SARA:	No, Pablo. Somos amigos, ¿no?
PABLO:	¿No quieres ser mi novia?
SARA:	No, Pablo. Debo irme. ¿Estás triste, Pablo?
PABLO:	No. Pablo Alba nunca está triste.
SARA:	Adiós.

(Julia y Roberto están sentados en un parque.)

ROBERTO:	¿Estás cansada?
JULIA:	Sí. Gracias por la canción.
ROBERTO:	¿Qué canción?
JULIA:	Es un regalo de cumpleaños muy bello. Eres un músico muy bueno.
ROBERTO:	Tú eres muy buena actriz.
JULIA:	Me gusta mucho el teatro. El teatro me hace feliz. Oye, Roberto, ¿tú eres feliz?
ROBERTO:	¿Feliz? A veces, con la música.
JULIA:	¿Y con Eva?
ROBERTO:	A veces.

Capítulo 7

Un día en la playa

Sara, Julia, y Elena están en la playa. Deciden jugar un partido de volibol, pero falta un jugador. Llega Augusto Torres, director de la escuela, y le proponen que juegue con ellas. Él acepta. Llegan entonces Eva y Diego y se les unen. Después aparece el grupo de músicos de Roberto y empiezan a tocar. Eva baila con Diego y eso provoca el enfado de Roberto, quien deja de tocar y se marcha. Se quedan solas Sara, Julia, y Elena.

(Por la playa pasean Julia, Sara y Elena. Elena lleva una pelota.)

ELENA:	¡Qué día tan raro!
SARA:	Sí, está muy nublado.
ELENA:	Y luego sale el sol.
JULIA:	Normalmente, en Cartagena hace mucho sol. En cambio, hoy parece Bogotá. En Bogotá siempre llueve y hace mucho frío.
ELENA:	¿Tú eres de Bogotá, Julia?
JULIA:	No. Soy de aquí, de Cartagena. Pero mis abuelos son de Bogotá y viven allí. Voy a la capital muchas veces con mis padres.
ELENA:	¿Te gusta Bogotá, Julia?
JULIA:	Sí, pero prefiero Cartagena. Éste es un lugar maravilloso. La ciudad vieja, el sol, la playa... Sara, ¿en qué estás pensando?
SARA:	Pienso en la obra de teatro, en "Bosque encantado". La representación es el mes que viene.
JULIA:	Sara, va a ir muy bien, ensayamos mucho. Dos veces por semana.
SARA:	Sí, pero es muy difícil.
ELENA:	¡Ay, Sara! ¡No te preocupes!

(Las chicas empiezan a pasarse la pelota unas a otras.)

SARA:	¡Toma tú!
JULIA:	¡Qué energía, Elena!
	(Se acerca Augusto Torres, director de la escuela, acompañado por su mujer, paseando por la playa.)
SARA:	¡Miren quien viene allí! ¡Hola!
DIRECTOR:	Hola, muchachas.
JULIA Y SARA:	Hola, señor director.
DIRECTOR:	¿Señor director? Augusto, llámenme Augusto, por favor. Les presento a mi mujer.
SRA. TORRES:	Mucho gusto. Hola.
TODAS:	¡Hola!
DIRECTOR:	Y esta joven, ¿también es actriz?
SARA:	Es mi hermana Elena.
ELENA:	Quiero ser bailarina. Yo también voy a ir a la escuela de arte.

AUGUSTO:	¡Ah! Vas a ser bailarina, seguro. Dos grandes artistas Beltrán. La primera actriz y la segunda bailarina.
ELENA:	¿Les gusta el volibol?
SRA. TORRES:	Bueno, de joven fue un gran jugador, pero hace muchos años.
ELENA:	¿Hace muchos años? ¡Imposible! Es muy joven todavía.
DIRECTOR:	Muchas gracias.
ELENA:	Usted va a ser el cuarto jugador. Vamos a jugar un partido de volibol.
SARA:	¡Elena!
ELENA:	¡Por favor!
SRA. TORRES:	Sí, Augusto. ¿Por qué no juegas?
TODAS:	¡Sí!
DIRECTOR:	¡De acuerdo!

(Entra Eva con Diego.)

EVA:	¡Hola! ¡Otra vez los actores!
JULIA:	Hola.
EVA:	¿Qué están haciendo? ¿Van a jugar un partido de volibol?
DIRECTOR:	Sí, señorita.
EVA:	¡Ay! ¿Podemos jugar nosotros también? ¡A mí me gusta mucho el volibol! Yo voy con los chicos.
EVA:	¡Qué aburrido! ¡Ya no juego más!
TODAS:	¡Ganamos!
DIRECTOR:	Felicitaciones. Un gran partido.
SARA:	Señora Torres, su marido es un gran deportista.
SRA. TORRES:	Es verdad.
DIRECTOR:	El gran deportista está muy cansado. Me voy a casa, señoritas. Hasta pronto.
SARA, JULIA Y ELENA:	Hasta pronto.
EVA:	Miren, Roberto está allí con sus amigos músicos, vamos.

(Aparece el grupo de músicos con los instrumentos enfundados.)

EVA:	¡Roberto!
JULIA:	¡Hola! ¡Hola a todos! ¡Hola! ¡Hola Roberto!
SARA:	¡Hola! ¿Cómo estás?
TODOS:	¡Hola!
ROBERTO:	¡Hola, Eva! ¿Qué están haciendo?
EVA:	Aquí aburriéndonos. ¡Queremos bailar! ¿Verdad?
TODOS:	Sí.
MÚSICO:	Está bien. Vamos a tocar, muchachos.

(Eva baila con Diego en actitud muy insinuante. Roberto se enfada y deja de tocar.)

MÚSICO:	¿Qué estás haciendo, Roberto?
ROBERTO:	Me voy.
MÚSICO:	¡Pero, Roberto!
ROBERTO:	Me voy. Mi novia esta bailando así con Diego, y no me gusta nada. ¡Me voy!
EVA:	¿Te vas Roberto? ¿Por qué?
ROBERTO:	¿Por qué? ¿Por qué, Eva?

(Roberto se marcha.)

SARA:	Roberto se va.
JULIA:	Es lo mejor. Pobre Roberto.

Capítulo 8

Una buena oportunidad

1ª escena: En casa de Sara y Elena, las chicas realizan las tareas domésticas. Sara recibe una llamada de Pablo para invitarla a comer. Elena se ofrece a acabar el trabajo doméstico de Sara para que ella pueda acudir a la cita.

2ª escena: Pablo y Sara se hallan en la terraza de un restaurante. Pablo le cuenta a Sara que le ha surgido una oportunidad en México, pero que para intentar aprovecharla debería dejar Colombia. Sara lo anima a aprovechar la oportunidad. Pablo se desanima porque Sara no intenta retenerlo. Pablo le anuncia a Sara que se marchará.

3ª escena: Julia llama a Roberto para saber cómo está su estado de ánimo tras el disgusto que sufrió en el episodio anterior.

(Está Sara barriendo la sala. Entra Elena con útiles de limpieza, en actitud juguetona y se pone delante de Sara.)

SARA:	Elena, eres un desastre. ¿No tienes trabajo?
ELENA:	No.
SARA:	¿Ah, no? Vete a lavar los platos.
ELENA:	Ya los lavé.
SARA:	Vete a colgar la ropa.
ELENA:	Acabo de colgarla, Sara.
SARA:	¿Arreglaste tu cuarto?
ELENA:	Sí, ya lo arreglé.
SARA:	Pues, saca la basura.
ELENA:	Sara, de acuerdo, voy a sacarla.

(Suena el teléfono. Sara lo levanta.)

SARA:	¿Aló?
PABLO:	Hola, Sara. Soy Pablo.
SARA:	Hola, Pablo. ¿Qué tal?
PABLO:	Me gustaría invitarte a comer.
SARA:	¿Me invitas a comer?
PABLO:	Sí. Te invito a comer a un restaurante español.
SARA:	Eres muy amable Pablo, pero estoy acabando de arreglar mi casa.
PABLO:	Acaba y ven lo más pronto posible, por favor, Sara. Te espero.
SARA:	¿Es tan urgente?
PABLO:	Sí, es muy importante. Te espero en el restaurante. Está en la Avenida de los Pegasos, junto a la muralla.
SARA:	Bueno, Pablo. De acuerdo.
PABLO:	Adiós, hasta luego, Sara.
SARA:	Hasta luego, Pablo.

(Sara cuelga.)

ELENA:	Pablo, ¿eh?, tu mexicano favorito.
SARA:	¡Elena!
ELENA:	¿Te invita a comer?
SARA:	Sí, me invita a comer a un restaurante español.
ELENA:	¿A un restaurante español? ¡Qué chévere! Vete ahora, Sara.
SARA:	No, todavía tengo que arreglar mi cuarto.
ELENA:	Yo lo arreglo.
SARA:	Gracias, Elena. Eres mi hermana favorita.
ELENA:	Soy tu única hermana.

(El mesero les muestra la paella a Pablo y a Sara.)

SARA:	¡Qué bonita!
MESERO:	La paella es una obra de arte, también para la vista.
SARA:	¿Lleva muchos ingredientes?
MESERO:	La paella es un plato de arroz. El arroz es el ingrediente más importante.
SARA:	Me gusta mucho el arroz.
MESERO:	La paella también lleva carne, pescado, ajo, cebolla, guisantes, pimientos...
PABLO:	¿Es usted español?
MESERO:	Sí, soy español, de Valencia. La ciudad de la paella, la famosa paella valenciana. Usted es mexicano ¿verdad?

PABLO:	Sí.
MESERO:	Yo fui allí hace muchos años, y allí trabajé en un restaurante. Es un país muy bonito.
PABLO:	Es verdad, es un país muy bonito.
MESERO:	Buen provecho.
PABLO Y SARA:	Gracias.

(El mesero sale.)

SARA:	Deliciosa, una paella deliciosa. Gracias, Pablo. El restaurante es muy bueno.
PABLO:	Sí, pero no tan bueno como el restaurante mexicano. El restaurante mexicano es el mejor de Cartagena. Y la comida mexicana la mejor del mundo.
SARA:	Sí, y México el mejor país del mundo.
PABLO:	Sí, es verdad. Y después Colombia.
SARA:	Gracias. Los mexicanos son la gente más modesta del mundo.
PABLO:	Tienes que ir a México.
SARA:	¡Ir a México! ¿Por qué no?
PABLO:	Me llegó una carta de México, de Marina.
SARA:	¿Y qué dice?
PABLO:	Que hay una prueba para la televisión mexicana.
SARA:	¡Una prueba para la televisión!
PABLO:	Necesitan presentadores jóvenes para un nuevo programa.
SARA:	¡Qué bueno!
PABLO:	Es una buena oportunidad.
SARA:	Pablo, debes presentarte a la prueba.
PABLO:	Sí, pero si voy a México debo dejar Colombia. Mi escuela, mi trabajo, mis amigos...
SARA:	Pablo, es una gran oportunidad. Debes presentarte.
PABLO:	¿Y adiós a mis amigos, y a ti...?
SARA:	Pablo, es tu futuro.
PABLO:	Es verdad. Es mi futuro. Voy a volver a México.
SARA:	Pablo, ¿no estás contento?
PABLO:	Pablo Alba siempre está contento.

(Julia llama a Roberto.)

ROBERTO:	¿Aló?
JULIA:	Hola, Roberto. Soy Julia.
ROBERTO:	Hola, Julia.
JULIA:	¿Cómo estás, Roberto?
ROBERTO:	Bien, gracias.
JULIA:	Ayer te fuiste triste de la playa, ¿verdad?
ROBERTO:	Sí, Julia, muy triste.

JULIA:	Lo siento. Fue terrible.
ROBERTO:	Pero ahora estoy bien.
JULIA:	¿De verdad?
ROBERTO:	Sí, Julia. Gracias por llamar. Eres muy amable.
JULIA:	Oye, Roberto, ¿nos vemos mañana? Podemos ir a dar un paseo.
ROBERTO:	¿Por qué no?
JULIA:	¿Nos vemos a las cinco en la muralla?
ROBERTO:	De acuerdo.
JULIA:	Hasta luego, Roberto.
ROBERTO:	Hasta luego, Julia.

Capítulo 9

¡Vamos de compras!

Sara, Roberto y Julia están de compras. Sara quiere comprarle un regalo a Pablo. Sara le compra una maleta a Pablo, para animarlo en su proyecto. Después pasean por Cartagena. Julia le pregunta a Roberto acerca de su relación con Eva. Sara le argumenta a Julia la necesidad de que Pablo aproveche la oportunidad que se le presenta. Después, se encuentran con Eva y Diego, quienes están sentados en la terraza de un café.

(En una calle del barrio colonial de Cartagena pasean Julia y Roberto.)

ROBERTO:	Gracias por llamarme. Eres muy amable.
JULIA:	Tú también, Roberto.
ROBERTO:	Pablo se va.
JULIA:	¿Pablo se va? ¿Adónde?
ROBERTO:	Vuelve a México.
JULIA:	¿Cómo lo sabes?
ROBERTO:	Me lo dijo ayer.
JULIA:	¿Y por qué se va? Pablo es muy feliz aquí en Cartagena.
ROBERTO:	Le llegó una carta de México. Le escribió Marina, su hermana. Hay una prueba en la televisión mexicana. Es muy importante.
JULIA:	Sin Pablo nada va a ser igual.
ROBERTO:	Me gustaría comprar un regalo para Pablo.
JULIA:	¡Buena idea!, vamos de compras. Yo también quiero comprar un regalo para Pablo. Y otro para alguien especial.
ROBERTO:	¿Para quién?
JULIA:	Para alguien muy especial.

(Julia y Roberto están en la tienda.)

JULIA:	¡Hay muchas cosas aquí!
ROBERTO:	No sé qué comprarle a Pablo.
JULIA:	¿Una corbata? Éstas de seda son muy bonitas.

(Aparece Sara.)

SARA:	Julia, Pablo nunca lleva corbata.
JULIA:	¡Sara!
ROBERTO:	¡Hola!
JULIA:	¿Qué haces aquí?
SARA:	Quiero comprar un regalo para Pablo.
ROBERTO:	Nosotros también.
SARA:	¡Ah! Camisas, camisetas... ¡Qué colores tan bonitos!
JULIA:	¡Miren esta camisa!
SARA:	¡Ah! ¡Es muy bonita! ¡Y muy suave!
JULIA:	Sí, es buen algodón.
SARA:	Azul. A Pablo le gusta mucho el color azul.
ROBERTO:	¿Y la billetera?
SARA:	¿No es demasiado grande?
ROBERTO:	Puede necesitarla.
SARA:	¡Ah! ¡Maletas!
ROBERTO:	¿Y este sombrero?
JULIA:	¿Cómo me queda?
ROBERTO:	¡Julia! ¡Qué linda!
JULIA:	¿De verdad? ¿Y a ti? ¿Cómo te queda? ¡Me gusta!
ROBERTO:	¿De verdad?
JULIA:	Sí. Te regalo el sombrero, Roberto.
ROBERTO:	¿Me lo regalas?
JULIA:	Sí, es mi regalo para alguien muy especial.

(Entra Sara con una maleta.)

SARA:	¡Miren! Es una maleta muy bonita.
JULIA:	Sí, es muy bonita.
ROBERTO:	¡Qué bonita!
SARA:	¡La compro!
JULIA:	Y yo voy a comprar la camisa.
ROBERTO:	Y yo la billetera. La va a necesitar.

(Por una calle de Cartagena caminan Julia, Roberto y Sara, que lleva la maleta que ha comprado.)

JULIA:	¡Déjame el sombrero, Roberto!
ROBERTO:	¡No, no, es mío!
JULIA:	¡Por favor!

ROBERTO:	De acuerdo.
SARA:	¡Roberto, Julia, esperénme! La maleta es un buen regalo, ¿no?
JULIA:	Sí, Sara, sí. Pero yo estoy muy triste. Quiero mucho a Pablo.
SARA:	Sí, yo también, Julia. Pablo es mi mejor amigo. Pero Pablo debe volver a México. Ahora tiene una gran oportunidad. Debe aprovecharla, ¿no?
ROBERTO:	Sí, pero nada va a ser igual sin Pablo.
SARA:	Es verdad, Roberto, pero Pablo debe volver a México. La maleta es un buen regalo.
JULIA:	Sí, es muy bonita.

(El grupo se acerca a la terraza de un café, donde están sentados Eva y Diego bebiéndose un mismo batido con dos pitillos. Roberto toma a Julia y a Sara por los hombros.)

ROBERTO:	Vengan, muchachas.
JULIA:	Pero, ¿qué haces, Roberto?
ROBERTO:	Vengan, por favor.

(Roberto se acerca a la mesa de Eva y Diego con Julia y Sara cogidas por los hombros.)

ROBERTO:	¡Hola, Eva!
EVA:	¡Roberto! ¿Qué tal?
ROBERTO:	Muy, muy bien. Nunca mejor.

Capítulo 10

La función de teatro

Sara, Julia y Pablo escenifican una pieza de la obra de teatro. Roberto interpreta una melodía tocando el clarinete. Al final de la obra, se celebra una fiesta donde felicitan a los actores. Eva manifiesta su desprecio por la obra y recibe un desaire por parte de los profesores y de su nuevo novio. En otra escena, Pablo y Sara se despiden. Queda patente la tristeza de Sara por la marcha de Pablo. Una última escena nos muestra a Roberto y a Julia sentados en la muralla y refleja el enamoramiento entre los dos.

PABLO:	¡Luz!
SARA:	¡Héctor! ¡Una flor!
PABLO:	Es para ti.
SARA:	¿Para mí? Una rosa roja.
PABLO:	Roja como mi sangre.

(Entra Julia, ataviada como un diablo. Por detrás, Julia se acerca a Pablo, sin ser vista, y le quita la flor.)

PABLO:	¡La flor!
SARA:	Héctor.
PABLO:	La flor.
SARA:	¡La luna, mira la luna!
PABLO:	Sí, la luna, blanca, bella. ¡La luz de la luna!
SARA:	¿Qué pasa, Héctor?
PABLO:	Debo marcharme.
SARA:	¿Por qué?
PABLO:	Es mi deber.
SARA:	¿Vas a la guerra?
PABLO:	Sí.
SARA:	¡Puedes morir!
PABLO:	Lo sé. ¡Adiós, Luz!
SARA:	¡Vuelve, Héctor!
PABLO:	Sí, Luz, después de la victoria.
SARA:	¡No!

(Ahora vemos una tertulia entre actores, profesores e invitados.)

SRA. ASTORGA:	¡Felicitaciones, muchachos! ¡Qué energía! ¡Qué espíritu! ¡Ah, buen teatro!
PABLO:	Gracias, profesora. Es usted muy amable.
SRA. ASTORGA:	¿Amable? ¡Yo no soy amable! ¡Es verdad! Ustedes son buenos actores. Hacen un gran trabajo.
SARA:	Tenemos una buena profesora.
JULIA:	Es verdad.
DIRECTOR:	Pues, pues...a mí no me gustó.
SRA. ASTORGA:	¿No le gustó?
DIRECTOR:	No, no me gustó, no. No me gustó. Me encantó.
EVA:	Pues, a mí no me gustó.
DIRECTOR:	¿Qué?
EVA:	Que a mí no me gustó.
DIRECTOR:	¿No?
EVA:	No. Creo que es una obra muy tonta.
DIRECTOR:	¿Tonta? ¡Qué interesante opinión!
SRA. ASTORGA:	¡Tonta! Muchacha, no comprendes nada.
ROBERTO:	Eva, eres una envidiosa.
EVA:	¿Envidiosa yo?
DIEGO:	Es verdad, Eva. Eres una envidiosa.
DIRECTOR:	Tranquilo, tranquilo, no pasa nada, no pasa nada.

(Sara espera sentada en un banco. Entra Pablo.)

PABLO:	Perdón, Sara, llego tarde. Tuve que preparar las cosas para el viaje.
SARA:	Hola, Pablo.
PABLO:	Mira. Un regalo de Julia.
SARA:	¡Qué bonita! Azul. Es tu color favorito.
PABLO:	Sí. El azul es mi color favorito.
SARA:	Yo también tengo un regalo para ti.
PABLO:	¡Una maleta! ¡Sara! ¡Es preciosa!
SARA:	¿Cuándo te vas?
PABLO:	Mañana. Y todavía tengo que hacer la maleta.
SARA:	¿Me vas a escribir?
PABLO:	Sí, claro. ¿Estás triste, Sara?
SARA:	No, Sara Beltrán nunca está triste.
PABLO:	Tengo que irme.
SARA:	Adiós, Pablo. Buena suerte, mi mexicano favorito.
PABLO:	Adiós, Sara.

(Julia y Roberto en la muralla.)

ROBERTO:	¡Qué tarde tan bonita!
JULIA:	Sí, Roberto.
ROBERTO:	Hoy fue un día muy bello.
JULIA:	Sí, la obra, la fiesta. ¿Estás contento, Roberto?
ROBERTO:	Sí. Me gusta la música, me gusta Cartagena...
JULIA:	¿Eres feliz, Roberto?
ROBERTO:	¿Feliz?
JULIA:	Sí, ¿eres feliz?
ROBERTO:	Sí, con la música, con...
JULIA:	¿Conmigo?
ROBERTO:	Sí, Julia, contigo soy muy feliz.

CAPÍTULO 1

1 ¿Cierto o falso? *(True or false)*

Write *cierto* if the sentence is true and *falso* if it is false.

1. _____ Cartagena de Indias está en España.

2. _____ Cartagena es una ciudad costera.

3. _____ Sara y Julia son estudiantes de la escuela de arte Simón Bolívar.

4. _____ Pablo es actor y estudiante de arte.

5. _____ El acento de Pablo es de Colombia.

6. _____ Pablo es de Cartagena.

7. _____ Julia y Sara son de Colombia.

8. _____ Las clases empiezan el siete de febrero.

2 ¿Quién dice esto? *(Who is speaking?)*

Match the speaker on the right with what he or she says on the left.

1. _____ Soy muy bella.   A. Sara

2. _____ Estoy muy mal.   B. Julia

3. _____ ¿Y cuántos años tienes?   C. Pablo

4. _____ Sí, tengo mucho talento.

5. _____ ¿De dónde eres?

6. _____ Julia, son las siete.

7. _____ Seis, seis, seis, siete, cero, uno, cinco.

8. _____ Muy bien, Héctor.

3 Saludos *(Greetings)*

Use the Spanish words provided to complete the dialogue that follows. All statements are based on the video accompanying this chapter. Be careful! Not all answer choices are used.

encantado   hola   adiós   cómo estás
mucho gusto   me llamo
qué tal   PERDÓN

PABLO: ¡_____, Héctor!

SARA: Hola, _____ Sara.

PABLO: Soy Pablo, Pablo Alba. _____, señoritas.

JULIA: ¡Hola! Yo soy Julia, _____. ¿_____ ,

Pablo?

PABLO: Muy bien, _____.

4 Información personal

In the following paragraph Pablo describes himself. Use this information as a guide to describe yourself.

Hola, me llamo Pablo Alba. Soy estudiante de la escuela de arte Simón Bolívar. Tengo veintidós años y soy de México. Mi teléfono es el seis, seis, seis, siete, cero, uno, cinco.

Hola, me llamo _____. Soy estudiante de

_____. Tengo _____ años y soy de

_____. Mi teléfono es el _____.

5 Sopa de letras: los países de Suramérica
(Word search puzzle: South American countries)

You will find the South American Spanish-speaking countries in the letters below. The letters may go backward or forward; they may go up, down or diagonally. However, they go only one way in any one word. Can you find all of them? Here is a list to help you.

ARGENTINA - BOLIVIA - CHILE - COLOMBIA - ECUADOR
PARAGUAY - PERÚ - URUGUAY - VENEZUELA

F	J	G	P	V	U	A	Y	U	A
U	A	E	A	E	L	P	L	O	C
T	R	O	R	N	F	C	K	H	O
U	G	U	A	E	N	R	I	R	L
A	E	M	G	Z	B	L	A	O	O
O	N	H	U	U	E	S	M	D	M
C	T	J	A	E	A	E	O	A	B
Y	I	Q	Y	L	H	Y	R	U	I
P	N	Z	O	A	Y	G	T	C	A
V	A	I	V	I	L	O	B	E	U

6 En el cine *(At the movies)*

Use the Internet ad below to answer the multiple choice questions that follow. Circle the letter that best answers each question.

1. At what time does *Bichos* start at *Cañaveral?*

    A. At 5:15 P.M.

    B. At 7:00 P.M.

    C. At 9:30 P.M.

2. In how many theaters is *Golpe de estadio* being shown?

    A. Six

    B. Three

    C. One

3. *Bichos* is

    A. a comedy

    B. a drama

    C. an adventure

4. At what time does *Golpe de estadio* start at Riviera?

    A. At 3:15 P.M.

    B. At 6:15 P.M.

    C. At 9:30 P.M.

5. If you want to see *Bichos* at 7:00 P.M., to which theater would you go?

    A. Riviera 2

    B. Cañaveral

    C. Cinema 2

6. Which is the only theater that has a showing in the morning?

    A. Riviera 2

    B. Cañaveral

    C. Cinema 2

CAPÍTULO 2

1 En el salón de clase (In the classroom)

You will hear the sentences that follow in the video episode. But here they are not in order. Put them in chronological order according to the video. Write "1" for the first sentence, "2" for the second sentence, etc. Watch out! There is one sentence that is not said. Write an "X" for this sentence.

_____ ¡Ah, aquí está la tiza sí, sí!

_____ ¿No hay tiza?

_____ Hay tiza verde, roja, azul...

_____ ¡Ah, sí, la pizarra!

_____ ¿Dónde está la tiza?

_____ ¡Qué simpático es el director!

_____ Las clases empiezan hoy.

_____ Sara, un papel, por favor.

2 Preguntas y respuestas (Questions and answers)

Match the answers on the right with the questions on the left, according to the video.

1. _____ ¿Qué hora es?   A. De aquí, de Cartagena.

2. _____ ¿A qué hora empiezan?   B. No está mal.

3. _____ ¿Cómo estás?   C. A las siete de la mañana.

4. _____ ¿Quién es?   D. Es Roberto Medina. Es mi amigo.

5. _____ ¿Y cuántos años tiene?   E. Hola, Flor. Estoy muy mal.

6. _____ ¿Y de dónde es?   F. Las once y cuarto.

7. _____ ¿Te gusta la obra de teatro, Eva? G. No, tengo trabajo en casa.

8. _____ ¿Te llamo esta tarde?   H. Tiene diecisiete años.

3 La escuela de arte Simón Bolívar

Answer the questions or complete the sentences based on the video for this chapter.

1. ¿Cómo se llama el director de la escuela de arte Simón Bolívar?

   _____

2. ¿Es el director colombiano o español?

   _____

3. Las clases empiezan…

   _____

4. Las clases terminan…

   _____

5. ¿A qué hora terminan las clases?

   _____

6. ¿A qué hora es el almuerzo?

   _____

7. Roberto Medina es estudiante de…

   _____

8. ¿Quién es Violeta Astorga?

   _____

4 Horario *(Class schedule)*

Use the class schedule below to answer the questions that follow.

Horario de Clases - Escuela de Arte Simón Bolívar				
Estudiante: Julia Castañeda		Profesora: Violeta Astorga		
Lunes	**Martes**	**Miércoles**	**Jueves**	**Viernes**
7:00-10:00		Teatro	Escultura	Teatro	
10:00-12:00	Danza				
12:00-1:00	Almuerzo	Almuerzo		Almuerzo	Almuerzo
1:00-3:00	Música	Historia		Música	Danza
3:00-5:00				Historia	

1. ¿De quién es el horario de clases?

   _____

2. ¿Qué clase es a las tres de la tarde?

   _____

3. ¿A qué hora es la clase del miércoles?

   _____

4. ¿Qué clase es a las diez de la mañana?

   _____

5. ¿A qué hora es la clase de música el lunes?

   _____

6. ¿Qué día terminan las clases a las cinco de la tarde?

   _____

5 Horario del tren *(Train schedule)*

Use information from the Internet to answer the questions that follow.

AVE Lanzaderas

HORARIOS: Madrid - Puertollano

Horarios válidos a partir del 27 de Septiembre de 1998.

Número de Tren	9715	9717	9725	9731	9735	9739	9741
Días de Circulación	Domingo	Lunes	Martes	Miércoles	Jueves	Viernes	Sábado
PUERTOLLANO	07.15	08.45	12.30	15.30	17.15	19.30	21.24
Ciudad Real	07.32	09.02	12.47	15.47	17.32	19.47	21.38
MADRID	08.25	09.55	13.40	16.40	18.25	20.40	22.30

OBSERVACIONES:

(T) Sólo lleva plazas de clase Turista.

(*) No circula del 21/12/98 al 06/01/99

(1) No circula 12/10/98, 02/11/98, 07/12/98, 08/12/98, 01/04/99, 02/04/99, 01/05/99.

(2) Circula diario del 21/12/98 al 05/01/99, exceptuando 25/12/98, 01/01/99.
    Circula, además, el 12/10/98, 02/11/98, 07/12/98, 08/12/98, 01/04/99, 02/04/99, 01/05/99.

(3) No circula 25/12/98, 01/01/99, 06/01/99.

(4) No circula 24/12/98, 31/12/98.

(5) No circula 06/01/99.

(6) Circula, además, el 06/01/99.

1. Where does a train go when it leaves Puertollano?

    _____

2. On which day does a train leave Puertollano at 8:45?

    _____

3. At what time does a train arrive in Ciudad Real on Saturday?

    _____

4. On which day does a train leave Puertollano at 21:24?

    _____

5. On which day does the train 9739 run?

    _____

6. At what time does a train arrive in Madrid on Sunday?

    _____

7. On what day does a train arrive in Ciudad Real at 15:47?

    _____

8. Which train runs on Tuesday?

    _____

6 El cine latinoamericano

Use information from the Internet to answer the questions that follow. Write *cierto* if the sentence is true and *falso* if it is false.

Universidad de Wisconsin - Madison
Cine Club Latinoamericano

Horario de Películas

Día (Date)	Hora (Time)	Sala (Room)	Película (Movie Name)	Clasificación (Rating)	Subtítulos (Subtitles)
9/15	5:00 pm	250 Van Hise	Como Agua Para Chocolate (México)	12 años	Sí
9/29	7:00 pm	254 Van Hise	Carne Trémula (España)	18 años	Sí
10/13	4:00 pm	250 Van Hise	Linda Sara (Puerto Rico)	12 años	No
10/27	6:00 pm	250 Van Hise	Un Lugar en el Mundo (Argentina)	Todos	Sí
11/10	6:00 pm	254 Van Hise	La Estrategia del Caracol (Colombia)	12 años	No
11/24	6:00 pm	250 Van Hise	Guantanamera (Cuba)	18 años	Sí

1. _____ *Linda Sara* is being shown on September 15.

2. _____ *La Estrategia del Caracol* is a Colombian film.

3. _____ *Guantanamera* is being shown in room 254 of Van Hise.

4. _____ *Un Lugar en el Mundo* is only appropriate for those over the age of 12.

5. _____ *Como Agua Para Chocolate* starts at six o'clock.

6. _____ *Carne Trémula* is being shown on September 29.

7. _____ All the movies have subtitles.

8. _____ *Linda Sara* is a Puerto Rican film.

9. _____ All movies are shown at the same time.

CAPÍTULO 3

1 La comida

Use the Spanish words provided to complete the dialogue that follows. All
statements are based on the video accompanying this chapter. Be careful! Not all
answer choices are used.

enchiladas de carne, quesadillas, refresco, tamales, agua mineral,
jugo de toronja, mole poblano, jugo de naranja, enchiladas de pollo

PABLO: Hay _____ , típico de México.
Está muy bueno.

ELENA: ¡Qué bueno!

JULIA: ¿Y hay _____ ?

PABLO: Sí, están muy buenas.

SARA: Yo quiero unos _____ .

ELENA: ¿Tienes _____ ?

PABLO: Sí, claro.

JULIA: Yo quiero un _____ .

SARA: Y yo, un _____ .

PABLO: Muy bien.

2 Corrige los errores *(Correct the mistakes)*

The following sentences contain incorrect information. Rewrite each sentence to make it correct, according to the video.

1. Pablo es amigo de Elena.

   _____

2. El novio de Sara viene a las siete.

   _____

3. Elena es amiga de Sara.

   _____

4. Sara, Elena y Julia van en taxi al restaurante.

   _____

5. Roberto trabaja de mesero en el restaurante mexicano.

   _____

6. Sara Beltrán y Diego Rivera son pintores mexicanos.

   _____

3 ¿Quién dice esto?

Match the speaker on the right with what he or she says on the left.

1. _____ ¡Hola, Sara! ¿Sabes quién soy?   A.   Sra. Murillo

2. _____ Bueno, pero a las siete en casa.   B.   Sara

3. _____ No, Elena. Es caro. Vamos a pie.   C.   Julia

4. _____ ¡Miren! ¡Qué bonitos murales!   D.   Eva

5. _____ Trabajo los fines de semana para ahorrar.   E.   Elena

6. _____ ¿Y tú, qué haces aquí?   F.   Pablo

7. _____ Tengo la guitarra de Pablo.   G.   Roberto

8. _____ No, gracias. Tenemos prisa.

9. _____ Es Eva. Ella estudia en la escuela de arte.

4 Menú

Use information from the Internet to answer questions about the restaurant La Trattoria.

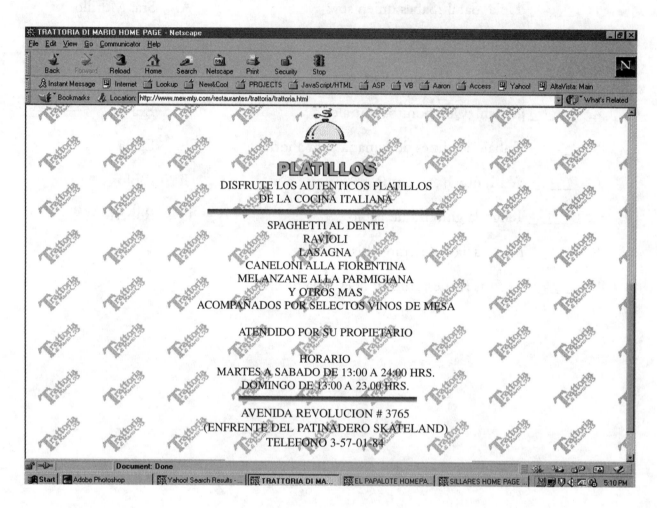

1. What kind of food can you eat at La Trattoria?

   _____

2. How many main dishes are listed on the menu?

   _____

3. Is La Trattoria open seven days a week?

   _____

4. At what time does La Trattoria open?

   _____

5. On which night does La Trattoria close at eleven o'clock?

   _____

6. What is the restaurant's telephone number?

   _____

7. In what country is this restaurant located?

   _____

5 Sopa de letras: los medios de transporte

You will find ten forms of transportation in the letters below. The letters may go backward or forward; they may go up, down or diagonally. However, they go only one way in any one word. Can you find all of them? Here is a list to help you.

**CARRO – BUS – TAXI – MOTOCICLETA – CAMIÓN
TREN – AVIÓN – METRO – BARCO – BICICLETA**

T	E	R	A	G	Y	J	A	M	X	O
A	N	A	S	C	T	U	I	O	N	R
X	Z	U	F	G	N	E	R	T	M	T
Q	B	A	R	C	O	P	G	O	J	E
C	U	Y	U	I	W	H	E	C	U	M
A	B	J	O	X	U	N	O	I	V	A
M	V	K	R	A	I	T	A	C	R	S
I	Q	O	R	F	D	X	S	L	O	Y
O	U	P	A	P	A	S	A	E	K	F
N	B	I	C	I	C	L	E	T	A	J
A	O	U	F	D	R	O	M	A	F	G

Nombre: _____   Fecha: _____

6 Diego Rivera

Use information from the Internet to answer questions about Diego Rivera.

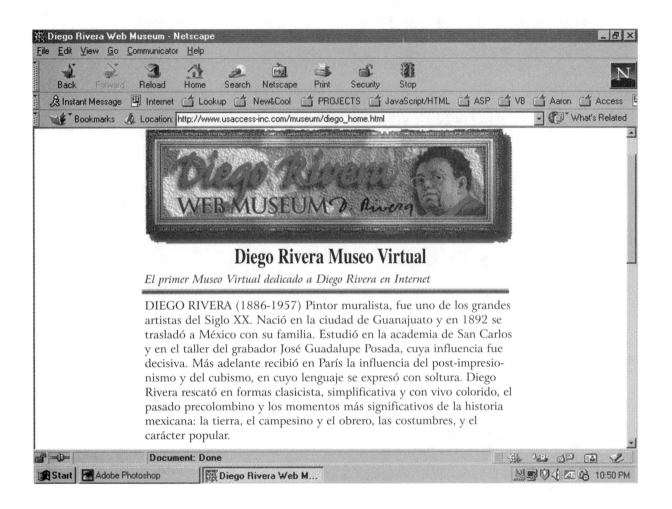

Diego Rivera Web Museum - Netscape

File   Edit   View   Go   Communicator   Help

Back   Forward   Reload   Home   Search   Netscape   Print   Security   Stop

Instant Message   Internet   Lookup   New&Cool   PROJECTS   JavaScript/HTML   ASP   VB   Aaron   Access

Bookmarks   Location: http://www.usaccess-inc.com/museum/diego_home.html   What's Related

Diego Rivera Museo Virtual

El primer Museo Virtual dedicado a Diego Rivera en Internet

DIEGO RIVERA (1886-1957) Pintor muralista, fue uno de los grandes artistas del Siglo XX. Nació en la ciudad de Guanajuato y en 1892 se trasladó a México con su familia. Estudió en la academia de San Carlos y en el taller del grabador José Guadalupe Posada, cuya influencia fue decisiva. Más adelante recibió en París la influencia del post-impresionismo y del cubismo, en cuyo lenguaje se expresó con soltura. Diego Rivera rescató en formas clasicista, simplificativa y con vivo colorido, el pasado precolombino y los momentos más significativos de la historia mexicana: la tierra, el campesino y el obrero, las costumbres, y el carácter popular.

Document: Done

Start   Adobe Photoshop   Diego Rivera Web M...   10:50 PM

1. Where is Diego Rivera from?

   ⎯⎯⎯⎯⎯⎯⎯⎯⎯⎯⎯⎯⎯⎯⎯⎯⎯⎯⎯⎯⎯⎯⎯⎯⎯⎯⎯⎯⎯⎯⎯

2. What kind of artist was Diego Rivera?

   ⎯⎯⎯⎯⎯⎯⎯⎯⎯⎯⎯⎯⎯⎯⎯⎯⎯⎯⎯⎯⎯⎯⎯⎯⎯⎯⎯⎯⎯⎯⎯

3. In what city was Diego Rivera born?

   ⎯⎯⎯⎯⎯⎯⎯⎯⎯⎯⎯⎯⎯⎯⎯⎯⎯⎯⎯⎯⎯⎯⎯⎯⎯⎯⎯⎯⎯⎯⎯

4. When was Diego Rivera born?

   ⎯⎯⎯⎯⎯⎯⎯⎯⎯⎯⎯⎯⎯⎯⎯⎯⎯⎯⎯⎯⎯⎯⎯⎯⎯⎯⎯⎯⎯⎯⎯

5. When did Diego Rivera die?

   ⎯⎯⎯⎯⎯⎯⎯⎯⎯⎯⎯⎯⎯⎯⎯⎯⎯⎯⎯⎯⎯⎯⎯⎯⎯⎯⎯⎯⎯⎯⎯

6. At what academy did Diego Rivera study?

   ⎯⎯⎯⎯⎯⎯⎯⎯⎯⎯⎯⎯⎯⎯⎯⎯⎯⎯⎯⎯⎯⎯⎯⎯⎯⎯⎯⎯⎯⎯⎯

7. What influences did Diego Rivera receive in Paris?

   ⎯⎯⎯⎯⎯⎯⎯⎯⎯⎯⎯⎯⎯⎯⎯⎯⎯⎯⎯⎯⎯⎯⎯⎯⎯⎯⎯⎯⎯⎯⎯

CAPÍTULO 4

1 La familia de Pablo

Answer the following multiple choice questions according to what was said in the video. Circle the letter that best answers each question.

1. ¿Quién es Marina?

    A. La hermana de Pablo.

    B. La mamá de Pablo.

    C. La amiga favorita de Pablo.

2. ¿Dónde está Marina?

    A. En la Ciudad de México.

    B. En Cartagena.

    C. En Los Angeles.

3. ¿Qué hace Marina?

    A. Es profesora.

    B. Trabaja.

    C. Estudia.

4. ¿Quién es Rosario?

    A. La hermana de Pablo.

    B. La mamá de Pablo.

    C. La amiga favorita de Pablo.

5. ¿Qué hace Rosario?

    A. Es profesora.

    B. Trabaja.

    C. Estudia.

6. ¿Dónde está el papá de Pablo?

    A. En la Ciudad de México.

    B. En Cartagena.

    C. En Los Ángeles.

2 ¿Como está? vs. ¿Cómo es?

Match the adjective on the right with the person on the left. Watch out! Adjectives can be repeated, and most persons can be described with more than one adjective.

1. ¿Cómo es Marina?

    _____ , _____ .

2. ¿Cómo está Sara?

    _____ .

3. ¿Cómo es Pablo?

    _____ .

4. ¿Cómo está Pablo?

    _____ .

5. ¿Cómo está Diego?

    _____ , _____ .

6. ¿Cómo está Julia?

    _____ , _____ ,

    _____ , _____ .

7. ¿Cómo es Eva?

    _____ , _____ .

A. elegante

B. enamorada

C. enojada

D. inteligente

E. cansado

F. fría

G. bonita

H. triste

I. amable

J. enfermo

K. aburrida

L. contento

3 ¿Cierto o falso?

Write *cierto* **if the sentence is true and** *falso* **if it is false.**

1. _____ Don Quijote piensa ataca a un gigante.

2. _____ Pablo lee una carta de su novia mexicana.

3. _____ Marina tiene clases todos los días.

4. _____ Marina no estudia los fines de semana.

5. _____ A Pablo le gusta mucho Cartagena.

6. _____ Julia cumple años el viernes.

7. _____ Julia invita a todos a una fiesta de cumpleaños.

8. _____ Roberto va a ir a la fiesta.

4 La familia

Use the family tree below to answer the questions, and complete the sentences that follow.

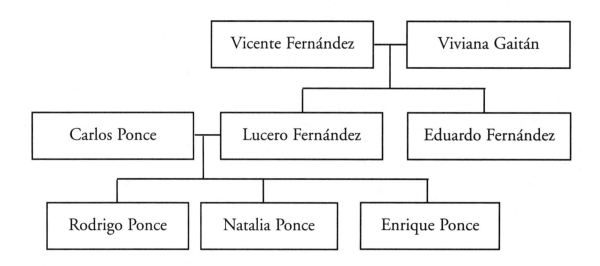

1. ¿Cómo se llama el papá de Eduardo? _____

2. ¿Cuántos hermanos tiene Lucero? _____

3. ¿Cómo se llama la abuela de Enrique? _____

4. ¿Cuántos hijos tiene Carlos? _____

5. Eduardo es el _____ de Rodrigo.

6. Natalia es la _____ de Eduardo.

7. Carlos y Lucero son _____.

8. Vicente es el _____ de Natalia.

9. Natalia es la _____ Viviana.

5 Invitaciones de cumpleaños

Use the invitation to answer the questions that follow.

¡FELICES 19 AÑOS, JULIA!

Eres muy especial para mí. Por eso, te invito a la fiesta de cumpleaños que voy a hacer este fin de semana. La fiesta es el sábado 7 de abril a las 7:00 de la noche. Vamos a bailar hasta las 2:00 de la mañana, en mi casa. Espero verte ahí. ¡No faltes!

Carrera 9 #121-46 Ap.205
Cartagena, Colombia
2-14-56-98

1. ¿Quién cumple años?

   _____

2. ¿Cuántos años cumple?

   _____

3. ¿Qué día de la semana es la fiesta?

   _____

4. ¿Cuándo cumple años Julia?

   _____

5. ¿A qué hora empieza la fiesta?

   _____

6. ¿A qué hora termina la fiesta?

   _____

7. ¿Dónde es la fiesta?

   _____

8. ¿Cuál es el teléfono de Julia?

   _____

6 Carta para la familia *(Letter to your family)*

Here is a similar letter to the one Marina wrote to Pablo. Use this information as a guide to write a letter to your favorite aunt. Use the words or phrases given to complete the paragraph. Be careful! There are three answers that cannot complete the paragraph. Do no repeat any of the answers.

> Bogotá, una de la mañana, cine, azul, cinco de la tarde, salgo, duermo, trabaja, enseña, restaurante, dos, once de la mañana

Aquí todo va bien. Mamá _____ todo el día en la

escuela. Papá está bien, en _____. Él

_____ mucho también. Yo

_____ mucho. Tengo clases lunes, martes y

jueves, de las _____ a las

_____. Los fines de semana estudio, pero

también _____ con los amigos. Vamos al

_____, y a un _____ mexicano. Te extraño, tía.

Hasta pronto.

CAPÍTULO 5

1 ¿Quién dice esto?

Match the speaker on the right with what he or she says on the left.

1. _____ Julia, eres una vieja.   A. Julia

2. _____ Es una canción mexicana de cumpleaños.   B. Elena

3. _____ Voy a poner las flores en agua.   C. Lucía (Sra. Corrientes)

4. _____ ¿Quieres un jugo, o un refresco?   D. Roberto

5. _____ Tú eres mexicano, ¿verdad?   E. Pablo

6. _____ Tengo el sicólogo en casa.   F. Sr. Castañeda

7. _____ ¿Un saxofón?   G. Sara

8. _____ Lo siento, Julia. Voy al concierto.

2 ¡Feliz cumpleaños, Julia!

You will hear the sentences that follow in the video episode. But here they are not in order. Put them in chronological order according to the video. Write "1" for the first sentence, "2" for the second sentence, etc. Watch out! There is one sentence that is not said. Write an "X" for this sentence.

1. _____ Muy bien. Siéntate, Pablo.

2. _____ Voy a cerrar la puerta.

3. _____ Gracias por el regalo.

4. _____ Julia, es para ti. ¡Feliz cumpleaños!

5. _____ Me gusta mucho. ¡Entra!

6. _____ Soy Lucía, mucho gusto.

7. _____ Pablo, te presento a mi papá.

8. _____ Elena...respeto a los mayores.

3 Preguntas

Answer the following questions based on the video for this chapter.

1. ¿Cómo se llama el papá de Julia?

   _____

2. ¿Qué hace la mamá de Julia?

   _____

3. ¿Cómo son los piscis? (3 adjetivos)

   _____

4. ¿Cómo se llama una música típica de Colombia?

   _____

5. ¿A qué hora termina Pablo en el restaurante?

   _____

6. Al final, ¿entra Roberto a la casa?

   _____

4 Sopa de letras: Los meses (Months)

You will find the twelve months of the year in the letters below. The letters may go backward or forward; they may go up, down or diagonally. However, they go only one way in any one word. Can you find all of them? Here is a list to help you.

ENERO - FEBRERO - MARZO - ABRIL - MAYO - JUNIO - JULIO - AGOSTO - SEPTIEMBRE - OCTUBRE - NOVIEMBRE - DICIEMBRE

L	I	R	B	A	M	O	R	S	F
E	R	C	O	G	J	Z	Y	E	J
R	N	Y	A	O	G	U	H	P	U
B	D	E	X	S	Z	Q	L	T	N
M	I	E	R	T	P	R	T	I	I
E	U	N	M	O	C	V	A	E	O
I	O	C	T	U	B	R	E	M	Y
C	F	J	O	Y	A	M	O	B	O
I	N	O	V	I	E	M	B	R	E
D	G	J	O	R	E	R	B	E	F

5 El vallenato colombiano

Use information from the Internet to answer questions about the *vallenato*.

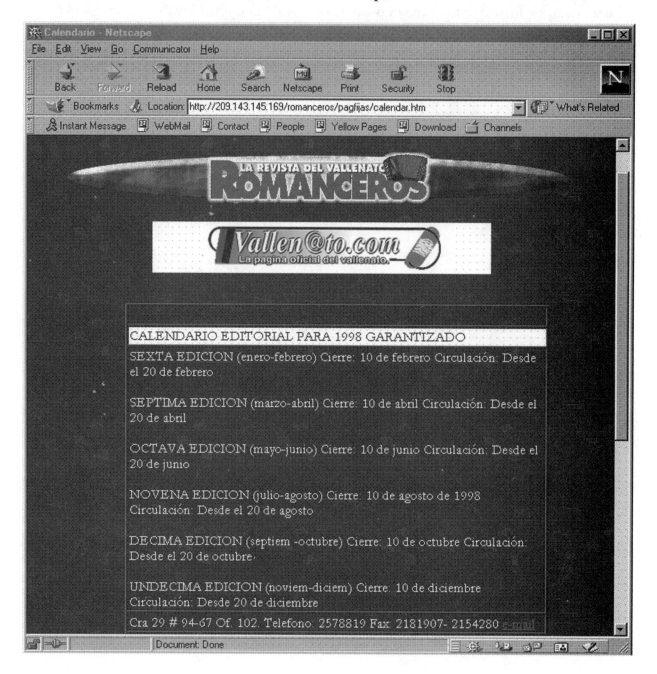

1. ¿Cómo se llama la revista del vallenato?

   _____

2. ¿Cuántas ediciones de la revista hay en un año?

   _____

3. ¿Cuándo empieza la circulación de la séptima edición?

   _____

4. ¿Cuál es la fecha de cierre de la undécima edición?

   _____

5. ¿Cuál es el teléfono de la revista?

   _____

6. ¿Cuándo empieza la circulación de la octava edición?

   _____

7. ¿De qué meses es la sexta edición?

   _____

8. ¿Qué edición circula en agosto?

   _____

9. ¿Cómo se llama la página oficial del vallenato?

   _____

6 Más música: los conciertos

Use information from the Internet to answer questions about the concerts.

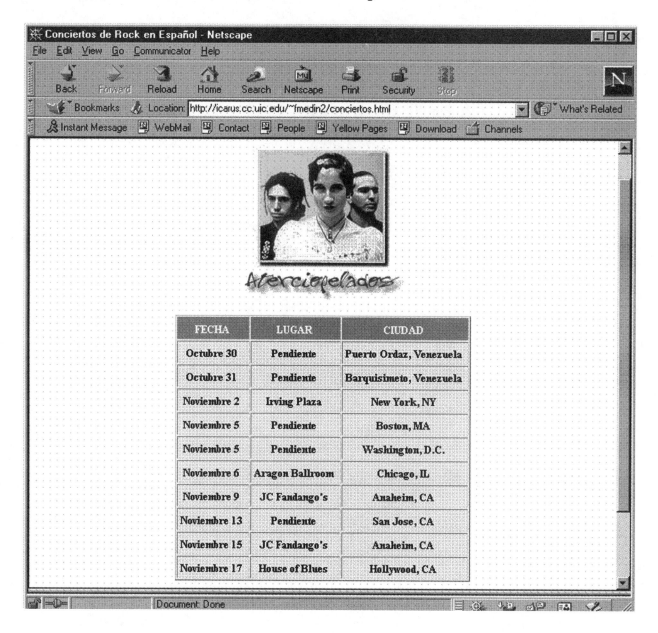

FECHA	LUGAR	CIUDAD
Octubre 30	Pendiente	Puerto Ordaz, Venezuela
Octubre 31	Pendiente	Barquisimeto, Venezuela
Noviembre 2	Irving Plaza	New York, NY
Noviembre 5	Pendiente	Boston, MA
Noviembre 5	Pendiente	Washington, D.C.
Noviembre 6	Aragon Ballroom	Chicago, IL
Noviembre 9	JC Fandango's	Anaheim, CA
Noviembre 13	Pendiente	San Jose, CA
Noviembre 15	JC Fandango's	Anaheim, CA
Noviembre 17	House of Blues	Hollywood, CA

1. ¿De qué tipo de música son los conciertos?

    _____

2. ¿En qué mes son los conciertos en Venezuela?

    _____

3. ¿Dónde es el concierto del 13 de noviembre?

    _____

4. ¿Cómo se llama el grupo colombiano del concierto?

    _____

5. ¿Cuántos conciertos hay en California?

    _____

6. ¿Hay algún concierto en el Midwest? ¿En qué ciudad?

    _____

7. ¿Cuántos conciertos hay en los Estados Unidos?

    _____

8. ¿Dónde es el concierto del 2 de noviembre?

    _____

9. ¿En qué fecha es el concierto en la House of Blues?

    _____

CAPÍTULO 6

1 Tener, tener que o deber

Complete each of the following sentences using the correct form of *tener*, *tener que* or *deber* according to what is said in the video episode.

_____ recoger todo.

Claro. Perdón, _____ llamar por teléfono.

¿Bueno? Hola, Roberto. ¿ _____ el disco de vallenato?

No, no _____ hambre.

Sí. _____ mucha experiencia.

Su casa es muy bonita. _____ un patio muy grande.

No, Pablo. _____ irme. ¿Estás triste, Pablo?

2 Crucigrama *(Crossword puzzle)*

Fill in the crossword puzzle by completing the following dialogue and placing the words in the available slots. When you finish, unscramble the marked letters to find the key word for this exercise. Watch out! Words have to be in the exact order they are said in the video. Note: One word in the puzzle is written backward.

PABLO: Tengo que recoger todo, lavar: cubiertos, vasos, 1. _____...

- más tarde...

PABLO: Pásame esos 2. _____, por favor.

SARA: 3. _____ , 4. _____ , 5. _____.

PABLO: _____ , _____ , _____.

SARA: Pablo Caruso.

PABLO: Ahora los 6. _____.

Key word = ___ ___ J ___ ___ ___ ___

3 ¿Cierto o falso?

Write *cierto* if the sentence is true and *falso* if it is false.

1. _____ Pablo llama a Eva por teléfono.

2. _____ Pablo es el rey y Julia la reina de la cocina.

3. _____ Julia tiene hambre.

4. _____ Sara y Pablo tienen casa con patios.

5. _____ A Sara le gusta Pablo.

6. _____ Pablo está triste.

7. _____ Julia y Roberto se van del restaurante.

8. _____ Roberto y Eva son siempre felices.

4 Los cubiertos

Use information from the Internet to answer questions about silverware.

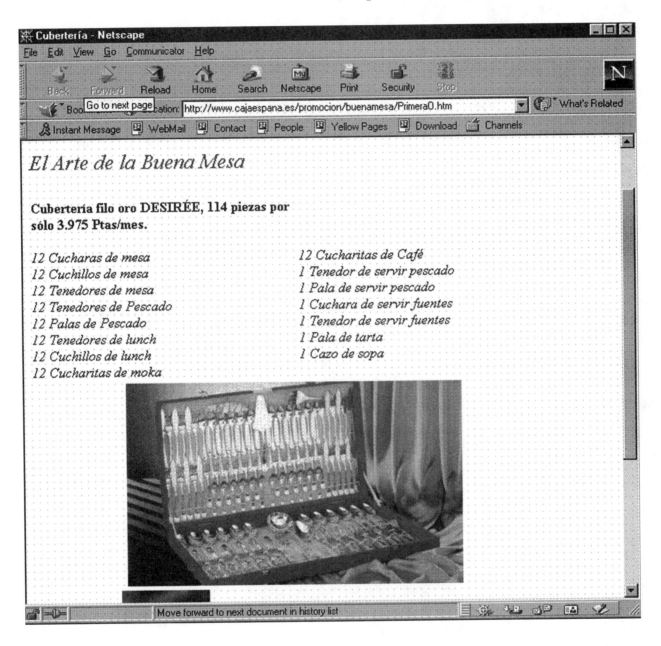

1. ¿Cuántos cubiertos hay en el juego *(set)*?

    _____

2. ¿Cuántos tenedores hay en total?

    _____

3. ¿Qué clases (tipos) de tenedores hay?

    _____

4. ¿Cuántas cucharitas de café hay?

    _____

5. ¿Qué cubiertos de servir hay?

    _____

6. ¿Cuántos cubiertos de pescado hay?

    _____

7. ¿Cuántos cuchillos hay en total?

    _____

8. ¿De qué cubierto hay 14 piezas?

    _____

9. ¿Cuánto cuestan los cubiertos?

    _____

5 La vajilla

Use information from the Internet to answer questions about dinnerware.

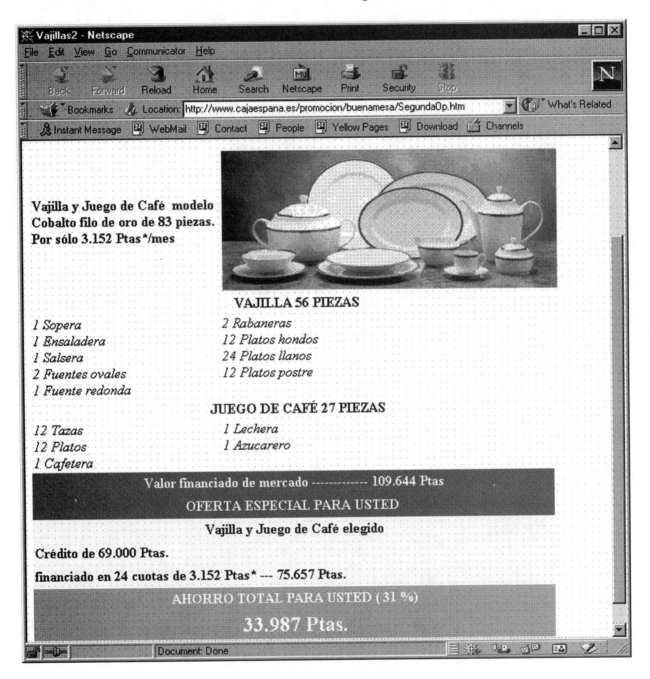

1. ¿Cuántas piezas tiene la vajilla?

     _____

2. ¿Cuántos platos llanos tiene?

     _____

3. ¿Cuántos platos en total?

     _____

4. ¿Cuántas piezas tiene el juego de café?

     _____

5. ¿Cuánto cuestan la vajilla y el juego de café a crédito?

     _____

6. ¿De qué país es la vajilla?

     _____

7. ¿Cuántas tazas tiene el juego de café?

     _____

6 Partes de la casa

Use information from the Internet to answer questions about rooms in a house.

```
Agencia Inmobiliaria Inmaculada Rocafort - Netscape
File  Edit  View  Go  Communicator  Help
Back  Forward  Reload  Home  Search  Netscape  Print  Security  Stop
Bookmarks  Location: http://www.servicom.es/macuroc/venta/casaspueblo/ventascasaspueblo.htm   What's Related
Instant Message   WebMail   Contact   People   Yellow Pages   Download   Channels
```

Inmaculada Rocafort

Venta Casas Pueblo

Inmobiliaria

CARPESA,	215 m² , construidos en 2 plantas. Para reformar. Alquería.	**9.500.000.-**
JAEN,	CASA RUSTICA DEL SIGLO XVII en Santa Helena, 140 m² construidos en 2 plantas, 1 patio de 150m² con cocina-paellero; pozo de agua potable ,2 puertas de acceso, 1ª pl. Recibidor, Comedor-salón, cocina, cuarto de baño completo, 1 habitación, 2ª pl. 2 habitaciones, 1 aseo	**8.000.000.-**
MASSARROCHOS,	330 m² en tres plantas.	**16.000.000.-**
ROCAFORT,	600 m² de parcela, 200 m² construidos, 6 habitaciones, 1 estudio, 3 baños completos, cocina muy amplia, salón comedor, calefacción, terraza y jardín de 450 m².	**50.000.000.-**

```
Document: Done
```

1. ¿Cuántas plantas tiene la casa de Massarrochos?

   _____

2. ¿Qué casa tiene 3 baños completos?

   _____

3. ¿Cuánto cuesta la casa de Carpesa?

   _____

4. ¿En qué país están todas estas casas?

   _____

5. ¿Cuántas habitaciones (cuartos) hay en la casa de Rocafort?

   _____

6. ¿Qué casa tiene un estudio, comedor y cocina?

   _____

7. ¿Qué casa tiene patio?

   _____

8. ¿Qué casas tienen dos plantas?

   _____

9. ¿Cuánto cuesta la casa de Jaén?

   _____

CAPÍTULO 7

1 El clima *(Weather)*

Use the video accompanying this chapter to complete the following dialogue.

ELENA: ¡Qué día tan _____!

SARA: Sí, está muy _____.

ELENA: Y luego sale el _____.

JULIA: Normalmente, en Cartagena _____. En cambio, hoy

           parece Bogotá. En Bogotá, siempre _____ y

           _____.

ELENA: ¿Tú eres de Bogotá, Julia?

2 Preguntas y respuestas

Match the answers on the right with the questions on the left, according to the video.

1. _____ ¿Te gusta Bogotá, Julia?   A. Aquí aburriéndonos.

2. _____ ¿En qué estás pensando?   B. ¡De acuerdo!

3. _____ Y esta joven. ¿También es actriz? C. Me voy.

4. _____ ¿Les gusta el volibol?   D. Sí, pero prefiero Cartagena.

5. _____ Sí, Augusto. ¿Por qué no juegas?   E. Es mi hermana Elena.

6. _____ ¿Van a jugar un partido de volibol? F. Sí, señorita.

7. _____ ¿Qué están haciendo?   G. Bueno, de joven fue un
                                                 gran jugador.

8. _____ ¿Qué estás haciendo, Roberto?
                                             H. Pienso en la obra de teatro, en
                                                 "El bosque encantado".

3 Corrige los errores

The following sentences contain incorrect information. Rewrite each sentence to make it correct, according to the video.

1. Los abuelos de Julia son de Cartagena.

    _____

2. La presentación de "El bosque encantado" es la semana que viene.

    _____

3. El director de la escuela de arte es soltero.

    _____

4. Elena dice: "Quiero ser actriz".

    _____

5. La Sra. Torres es una gran deportista.

    _____

6. Eva está bailando con Roberto.

    _____

4 El estado del tiempo

Use information from the Internet to answer questions about the weather.

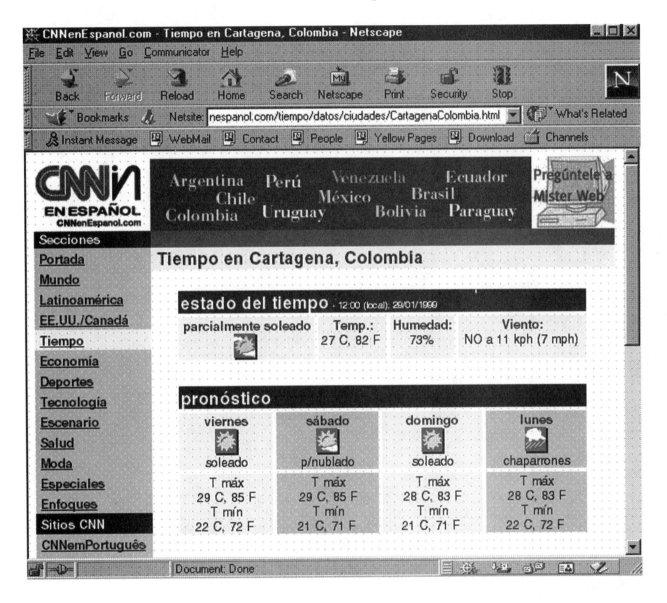

1. ¿De qué ciudad es el estado del tiempo?

   _____

2. ¿Cómo va a estar el tiempo hoy?

   _____

3. ¿Cuál es la máxima temperatura que va a hacer hoy?

   _____

4. ¿Cuánta humedad va a hacer?

   _____

5. ¿Cuál es el pronóstico para el domingo?

   _____

6. ¿Cuál va a ser la temperatura máxima el lunes?

   _____

7. ¿Cuál va a ser la temperatura mínima el viernes?

   _____

8. ¿Cuál es el pronóstico para el sábado?

   _____

9. ¿Va a llover el lunes?

   _____

5 Deportes

Use information from the Internet to answer questions about sports.

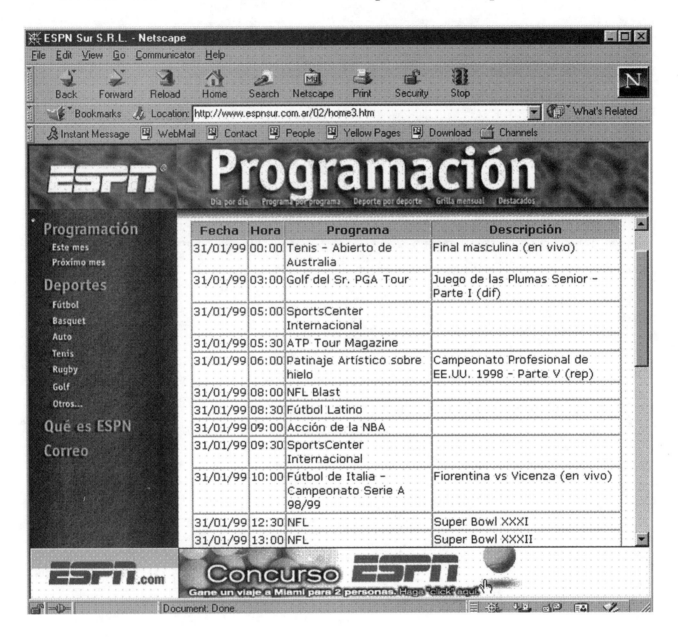

1. ¿Cuántos programas de fútbol americano hay en ESPN?

   _____

2. ¿A qué hora es el programa de básquetbol?

   _____

3. ¿De dónde es este calendario de ESPN?

   _____

4. ¿Hay algún partido de volibol en el programa?

   _____

5. ¿A qué hora es Fútbol Latino?

   _____

6. ¿Cuántos programas de golf hay en ESPN?

   _____

7. ¿Qué programa de tenis hay a medianoche?

   _____

8. ¿Qué partido de fútbol es en vivo?

   _____

9. ¿Qué programa es sobre un deporte de invierno?

   _____

6 Crucigrama

Fill in the crossword puzzle by completing the following sentences and placing the words in the available slots. When you finish, unscramble the marked letters to find the key word for this exercise. Note: There are two words written backward.

1. Cuando hace sol está _____.

2. En invierno hace _____.

3. Cuando hay nubes está _____.

4. En el verano hace _____.

5. Cuando no hace frío y no hace calor, hace _____.

6. En el otoño _____ mucho.

7. Las estaciones son: el verano, el otoño, el invierno y la _____.

8. Cuando hay un tornado hace mucho _____.

Key word = ____ ____ ____ ____ ____ ____ ____

CAPÍTULO 8

1 ¿Quién dice esto?

Match the speaker on the right with what he or she says on the left.

1. _____ Te invito a comer a un restaurante español.   A. Sara

2. _____ Yo lo arreglo.   B. Julia

3. _____ La paella es una obra de arte, también para la vista.   C. Pablo

4. _____ Es verdad, es un país muy bonito.   D. Elena

5. _____ Los mexicanos son la gente más modesta del mundo.   E. Roberto

6. _____ Que hay una prueba para la televisión mexicana.   F. Mesero

7. _____ Ayer te fuiste triste de la playa ¿verdad?

8. _____ Gracias por llamar. Eres muy amable.

9. _____ ¿Nos vemos a las cinco en la muralla?

2 ¿Cierto o falso?

Write *cierto* if the sentence is true and *falso* if it is false.

1. _____ Pablo espera a Sara en el restaurante mexicano.

2. _____ La paella lleva muchos ingredientes.

3. _____ El pescado es el ingrediente principal de la paella.

4. _____ El mesero es de Valencia.

5. _____ El mesero trabajó en México una vez.

6. _____ A Pablo le llegó una carta de su hermana.

7. _____ Pablo va a volver a México.

8. _____ Pablo está triste.

3 Los quehaceres domésticos

Use the video accompanying this chapter to complete the following dialogue.

SARA: ¿Ah, no? Vete a _____.

ELENA: Ya los _____.

SARA: Vete a _____.

ELENA: Acabo de _____, Sara.

SARA: ¿ _____ tu cuarto?

ELENA: Sí, Sara. Ya lo _____.

SARA: Pues, _____.

ELENA: Sara, de acuerdo, voy a _____.

4 Sopa de letras: La paella

You will find the seven mentioned ingredients for making a *paella*, in the letters below. The letters may go backward or forward; they may go up, down or diagonally. However, they go only one way in any one word. Can you find all of them?

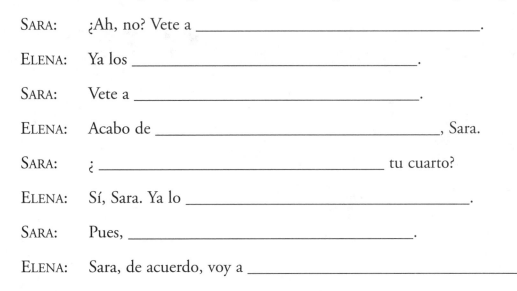

```
C   A   S   A   D   E   T   E   D   F
S   O   T   N   E   I   M   I   P   Y
E   T   C   Q   U   F   J   M   E   J
R   O   M   A   F   J   G   N   S   H
E   S   A   R   R   O   Z   H   C   E
A   Ñ   S   D   O   N   N   I   A   A
A   Z   F   U   I   P   E   O   D   T
J   C   E   B   O   L   L   A   O   R
O   H   V   C   E   B   O   M   U   I
I   G   U   I   S   A   N   T   E   S
```

5 La paella

Use information from the Internet to answer questions about the recipe for *paella*.

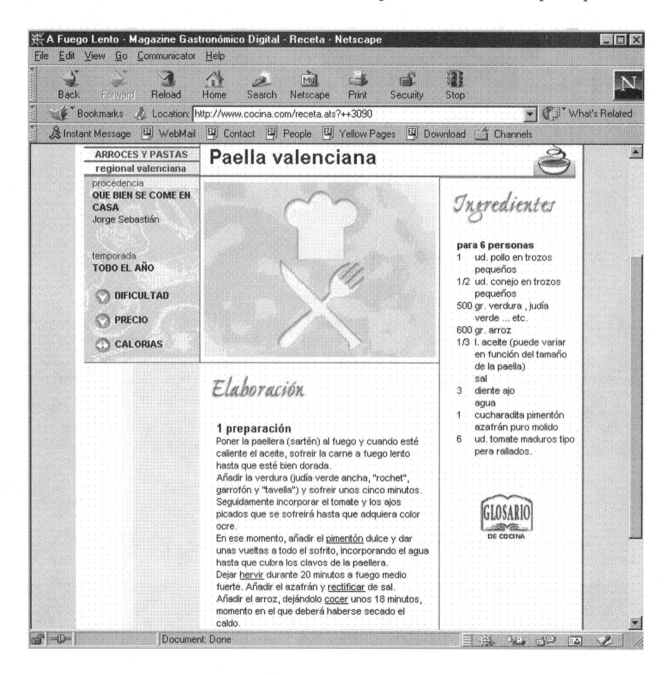

1. ¿De qué tipo de paella es la receta?

   _____

2. ¿Cómo se llama la revista de recetas?

   _____

3. ¿Para qué temporada es la receta?

   _____

4. ¿Para cuántas personas es la receta?

   _____

5. ¿Cuántos dientes de ajo necesitamos para preparar la paella?

   _____

6. ¿Qué carnes necesitamos para prepararla?

   _____

7. ¿De qué ingrediente necesitamos 6 ud. (unidades)?

   _____

8. ¿Cuántos gramos de arroz necesitamos para preparar la paella?

   _____

9. ¿Cuántos minutos debemos cocer (cocinar) el arroz?

   _____

6 Un restaurante mexicano

Use information from the Internet to answer questions about the Mexican restaurant.

```
Restaurant La Fogata - Menú Cena - Netscape                        _ □ ✕
File  Edit  View  Go  Communicator  Help

  Back   Forward  Reload   Home   Search  Netscape  Print  Security  Stop      N

  Bookmarks   Location: http://www.sdro.com/fogata/menu_02.htm        What's Related

  Instant Message    WebMail    Contact    People    Yellow Pages    Download    Channels
```

Combinaciones Mexicanas
Estos platillos incluyen sopa del día.

1- Taco de carne, enchilada de queso $41.00

arroz y frijoles refritos.

2- Chile relleno de queso, enchilada $43.00

arroz y frijoles refritos.

3- Dos enchiladas (queso ó carne) $43.00

arroz y frijoles.

4- Taco de Carne, tostado, enchilada y
arroz $45.00

5- Dos enchiladas de pollo $45.00

crema arroz y frijoles

6- Dos tacos de pescado $45.00

arroz y frijoles refritos.

7- Dos tacos de carne asada (filete de res)
con frijoles refritos y cebollitas asadas. $52.00

8- Taquitos rancheros (4) $48.00

*con arroz y frijoles. Con guacamole o crema,
lechuga, salsa y queso.*

9- Chiles Rellenos $49.00

*Dos chiles rellenos de queso, salsa ranchera, arroz
y frijoles refritos.*

10- Quesadilla, enchilada y taco de carne $48.00

con frijoles refritos.

```
Document: Done
```

1. ¿Cómo se llama el restaurante mexicano?

   _____

2. ¿Cuántos platos tiene el restaurante?

   _____

3. ¿Qué plato incluye lechuga?

   _____

4. ¿Cuánto cuestan las dos enchiladas de pollo?

   _____

5. ¿Qué plato tiene el precio más alto?

   _____

6. ¿Qué incluyen todos los platos? (2 cosas)

   _____

7. ¿Cuántas platos incluyen tacos de carne?

   _____

8. ¿Qué plato incluye aguacate (guacamole)?

   _____

9. ¿De qué están rellenos *(filled)* los chiles?

   _____

CAPÍTULO 9

1 ¡Ordénalas! *(Put them in order)*

You will hear the sentences that follow in the video episode. But here they are not in order. Put them in chronological order according to the video. Write "1" for the first sentence, "2" for the second sentence, etc. Watch out! There is one sentence that is not said. Write an "X" for this sentence.

1. _____ Muy, muy bien. Nunca mejor.

2. _____ ¡Qué colores tan bonitos!

3. _____ ¿No es demasiado grande?

4. _____ Gracias por llamarme, eres muy amable.

5. _____ ¿La maleta es un buen regalo, no?

6. _____ Julia, Pablo nunca lleva zapatos.

7. _____ Sin Pablo nada va a ser igual.

8. _____ Vuelve a México.

2 Regalos para Pablo

Answer the following multiple choice questions according to what was said in the video. Circle the letter that best answers each question.

1. ¿Quién es el amigo especial de Julia?

    A. Pablo.

    B. Roberto.

    C. A y B.

2. Las camisas son...

    A. de algodón.

    B. de colores bonitos.

    C. A y B.

3. Julia le regala _____ a Roberto.

    A. una corbata

    B. una billetera

    C. un sombrero

4. Sara le compra _____ a Pablo.

    A. una maleta

    B. una camisa azul

    C. una billetera

5. Julia le compra _____ a Pablo.

    A. un sombrero

    B. una camisa azul

    C. una billetera

6. Roberto le compra _____ a Pablo.

    A. una billetera

    B. una corbata

    C. un sombrero

3 ¡Adiós Pablo!

Answer the following questions based on the video for this chapter.

1. ¿Adónde se va Pablo?

   _____

2. ¿Por qué se va Pablo?

   _____

3. ¿Para qué quieren irse de compras todos?

   _____

4. ¿Qué color le gusta más a Pablo?

   _____

5. ¿Quiénes están tristes?

   _____

6. ¿Por qué es la maleta un buen regalo?

   _____

7. ¿Qué hace Roberto cuando ve a Eva?

   _____

4 La ropa

Use information from the Internet to answer questions about clothing.

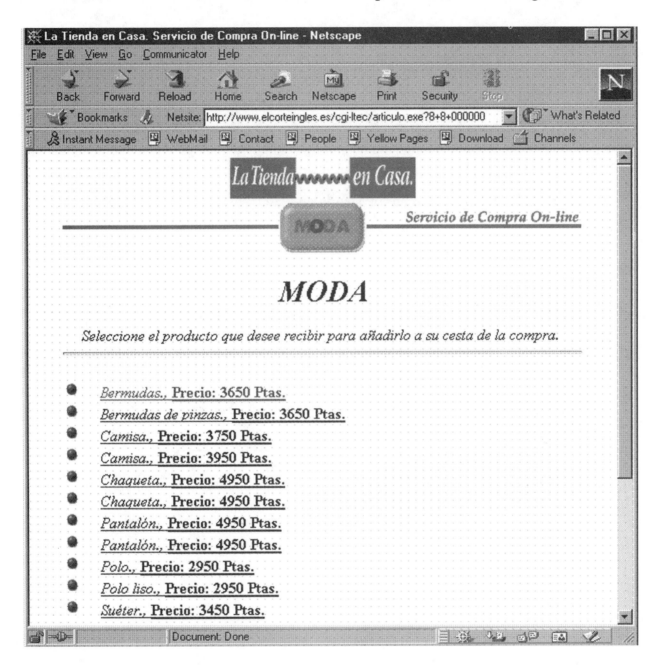

1. ¿Cuántas camisas vende La Tienda en Casa?

   _____

2. ¿De qué país es La Tienda en Casa?

   _____

3. ¿Cuánto cuesta el suéter?

   _____

4. ¿Cuántas corbatas venden en La Tienda en Casa?

   _____

5. ¿Qué puedes comprar si tienes 4950 pesetas?

   _____

6. ¿Cuánto cuestan las bermudas?

   _____

7. Si tienes 7200 pesetas, ¿qué ropa puedes comprar? (2 cosas)

   _____

8. ¿Qué ropa tiene el precio más bajo?

   _____

5 En la tienda

Use information from the Internet to answer questions about clothing and accessories.

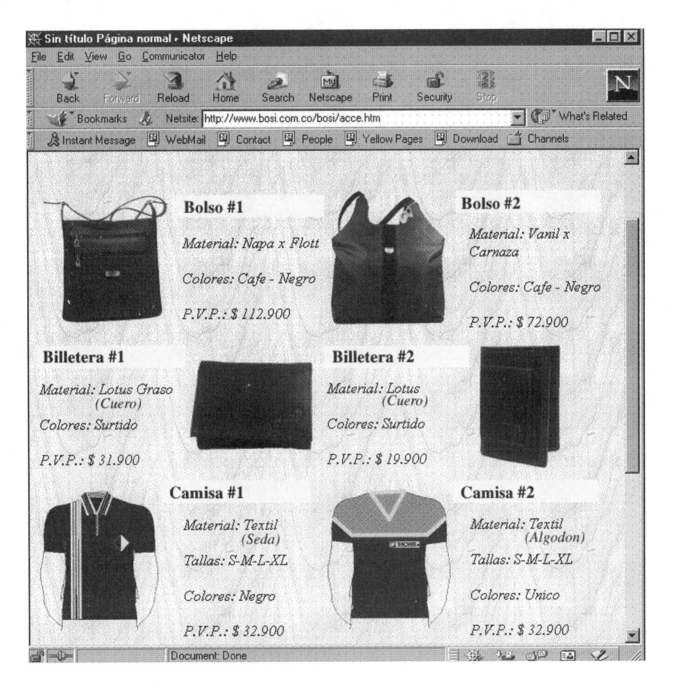

1. ¿De qué país es la tienda Bosi?

   _____

2. ¿Cuánto cuesta la camisa de algodón?

   _____

3. ¿De qué colores hay bolsos en Bosi?

   _____

4. ¿De qué material son las billeteras de Bosi?

   _____

5. ¿De qué material es la camisa negra?

   _____

6. ¿De qué tallas son las camisas?

   _____

7. ¿Cuál es el precio del bolso #1?

   _____

8. ¿Vende bufandas Bosi?

   _____

9. ¿Cuál billetera cuesta más?

   _____

6 ¿Dónde te lo pones? *(Where do you wear it?)*

Use information from the Internet to match the body parts on the right with the articles of clothing on the left.

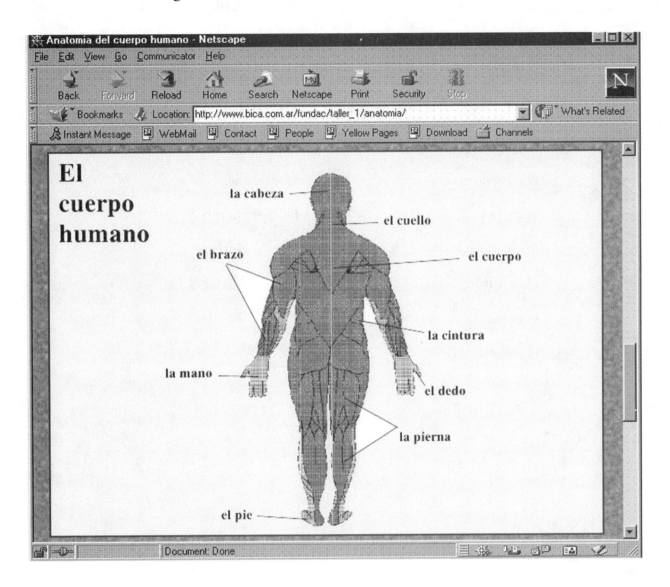

1. _____ el anillo
2. _____ el sombrero
3. _____ el guante
4. _____ el collar
5. _____ el calcetín
6. _____ el traje de baño
7. _____ el pantalón
8. _____ el zapato
9. _____ la chaqueta
10. _____ el cinturón
11. _____ la corbata
12. _____ la pulsera

A. la cabeza
B. el cuello
C. el brazo
D. la mano
E. el dedo
F. la pierna
G. el pie
H. el cuerpo
I. la cintura

CAPÍTULO 10

1 Preguntas y respuestas

Match the answers on the right with the questions on the left, according to the video.

1. _____ ¿Qué pasa, Héctor?

2. _____ ¿No le gustó?

3. _____ ¿Envidiosa yo?

4. _____ ¿Cuándo te vas?

5. _____ ¿Me vas a escribir?

6. _____ ¿Estás triste Sara?

7. _____ ¿Eres feliz conmigo Roberto?

A. No, Sara Beltrán nunca está triste.

B. Es verdad Eva.

C. Debo marcharme.

D. Sí, Julia, contigo soy muy feliz.

E. No, no me gustó, no.
   No me gustó me encantó.

F. Sí, claro...

G. Mañana. Y todavía tengo
   que hacer la maleta.

2 ¿Quién dice esto?

Match the speaker on the right with what he or she says on the left. Watch out! There is one that does not have a match.

1. _____ Roja como mi sangre.

2. _____ ¡Puedes morir!

3. _____ Sí, Luz, después de la victoria.

4. _____ ¡Yo no soy amable! ¡Es verdad! Ustedes son buenos actores.

5. _____ ¿Tonta? ¡Qué interesante opinión!

6. _____ Eva, eres una envidiosa..

7. _____ Buena suerte, mi mexicano favorito.

8. _____ ¿Estás contento, Roberto?

9. _____ Sí, con la música, con…

A. Sara

B. Julia

C. Director

D. Sra. Astorga

E. Roberto

F. Pablo

G. Diego

3 ¿Cierto o falso?

Write *cierto* if the sentence is true and *falso* if it is false.

1. _____ A la Sra. Astorga no le gustó la obra de teatro.

2. _____ Eva cree que la obra es muy tonta.

3. _____ Pablo lleva el regalo de Roberto.

4. _____ Azul es el color preferido de Pablo.

5. _____ A Pablo le encanta la maleta.

6. _____ Al final, Pablo decide no ir a México.

7. _____ Roberto cree que el día fue muy bello.

4 De viaje

Use information from the Internet to answer the questions that follow.

ITINERARIO Y PRECIOS

SALIDA			de Bogotá a México
Fecha	**Día**	**Vuelo**	**Itinerario**
15 Junio	MAR	AA916	Salida de Bogotá 10:20am Llegada a Miami 3:00pm
15 Junio	MAR	MX308	Salida de Miami 5:45pm Llegada a México 9:15pm

INFORMACIÓN DE PRECIOS EN DÓLARES

Pasajero(s)	Tarifa por pasajero	Tarifa con impuestos	Total incluyendo impuestos
1 Adulto (12 a 62 años)	876.00	892.00	892.00
Total			892.00

Nota: Esta es la tarifa más económica que aplica para este vuelo en esta fecha.

1. ¿De dónde sale el vuelo?

   _____

2. ¿A dónde llega?

   _____

3. ¿Es el vuelo directo?

   _____

4. ¿A qué hora sale el vuelo de Bogotá?

   _____

5. ¿Qué día de la semana es el vuelo?

   _____

6. ¿Para cuántos pasajeros es el tiquete?

   _____

7. ¿Cuánto cuesta el tiquete?

   _____

8. ¿Cuál es el número del vuelo a México?

   _____

9. ¿A qué hora llega el vuelo a México?

   _____

5 Las carreras

Use information from the Internet to answer the questions that follow.

```
╔══════════════════════════════════════════════════════════════════════════════╗
║ ✳ Programas de pregrado de la Universidad Nacional de Colombia - Netscape  _□✕ ║
╠══════════════════════════════════════════════════════════════════════════════╣
║ File  Edit  View  Go  Communicator  Help                                       ║
║                                                                                ║
║    Back   Forward  Reload   Home   Search  Netscape  Print  Security  Stop   N ║
║  🔖 Bookmarks  🔧 Netsite: http://www.unal.edu.co/un/programas/carreras.html ▼ 📁 What's Related ║
║  👤Instant Message  💻WebMail  💻Contact  💻People  💻Yellow Pages  💻Download  📺Channels ║
╟────────────────────────────────────────────────────────────────────────────────╢
```

La siguiente es una lista de las carreras de pregrado ofrecidas en las diferentes sedes de la Universidad Nacional de Colombia.

- **SEDE ARAUCA**
  - Enfermería (Programa)
  - Ingeniería Ambiental (Programa)

- **SEDE DE SANTAFE DE BOGOTA**
  - Facultad de Agronomía
  - Facultad de Artes
  - Facultad de Ciencias
  - Facultad de Ciencias Económicas
  - Facultad de Ciencias Humanas
  - Facultad de Derecho, Ciencias Políticas y Sociales
  - Facultad de Enfermería
  - Facultad de Ingeniería
  - Facultad de Medicina
  - Facultad de Medicina Veterinaria y Zootecnia
  - Facultad de Odontología
- **SEDE MEDELLIN**
  - Facultad de Arquitectura
  - Facultad de Ciencias
  - Facultad de Ciencias Agropecuarias
  - Facultad de Ciencias Humanas
  - Facultad de Minas
- **SEDE MANIZALES**
  - Facultad de Ciencias y Administración
  - Facultad de Ingeniería y Arquitectura
- **SEDE PALMIRA**
  - Facultad de Ciencias Agropecuarias

1. ¿Qué universidad tiene todas estas carreras? ¿Cómo se llama?

    _____

2. ¿En cuántas ciudades hay sedes de esta universidad?

    _____

3. ¿Dónde hay un programa de ingeniería ambiental?

    _____

4. ¿Qué ciudad tiene más carreras?

    _____

5. ¿En qué facultad debes estudiar para ser médico?

    _____

6. ¿Qué ciudades tienen programas o facultades de enfermería?

    _____

7. ¿Dónde hay una facultad de minas?

    _____

8. ¿En qué facultad debes estudiar para ser artista?

    _____

Nombre: _____ Fecha: _____

6 Vacaciones

Use information from the Internet to answer the questions that follow.

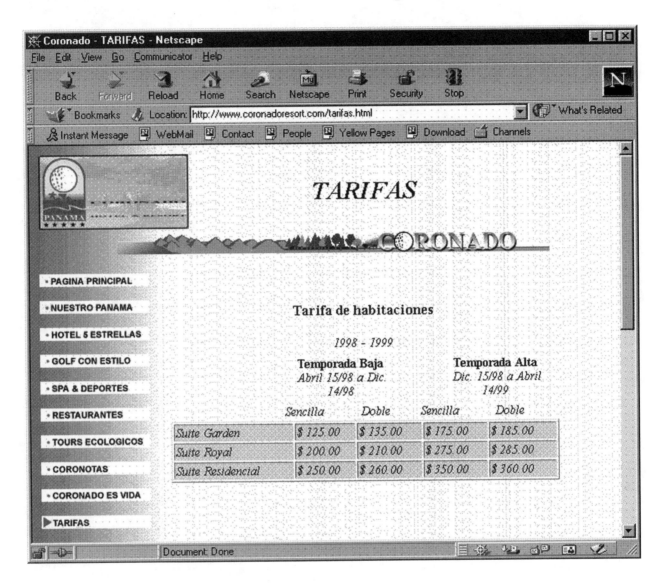

1. ¿Dónde está el Hotel Coronado?

   ——

2. ¿Cuándo empieza la temporada baja en el hotel?

   ——

3. ¿Qué deporte puedes practicar en el hotel?

   ——

4. ¿Cuál es el precio de una suite residencial sencilla en temporada baja?

   ——

5. ¿Cuándo termina la temporada baja?

   ——

6. ¿Cuál es el precio de una suite royal doble en temporada alta?

   ——

7. ¿Qué cuarto (suite) tiene el precio más bajo?

   ——

Answer Key

Capítulo 1

1. 1. falso, 2. cierto, 3. cierto, 4. cierto, 5. falso, 6. falso, 7. cierto, 8. falso

2. 1. B, 2. A, 3. B, 4. C, 5. B, 6. A, 7. C, 8. A

3. Hola, me llamo, Perdón, mucho gusto, Qué tal, encantado

4. Answers will vary.

5.

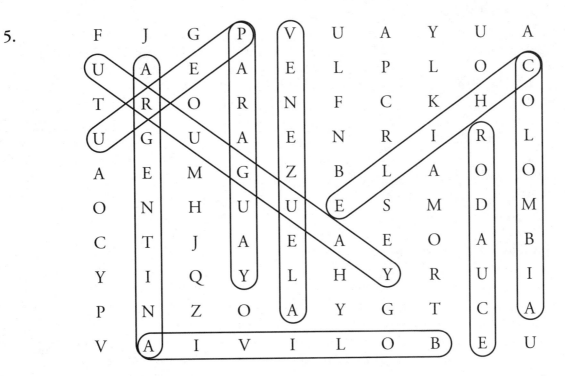

6. 1. A, 2. B, 3. C, 4. C, 5. A, 6. B

Capítulo 2

1. 3, 2, 4, 1, X, 7, 5, 6

2. 1. F, 2. C, 3. E, 4. D, 5. H, 6. A, 7. B, 8. G

3. 1. Augusto Torres
   2. español
   3. el dos de febrero
   4. el treinta de junio
   5. a las cinco de la tarde
   6. a las doce
   7. música
   8. la profesora de teatro

4. 1. de Julia Castañeda
   2. Historia
   3. a las siete de la mañana
   4. Danza
   5. a la una de la tarde
   6. el jueves

5. 1. to Ciudad Real and then to Madrid
   2. Monday
   3. at 9:38 P.M. (At 21:38)
   4. Saturday
   5. Friday
   6. at 8:25 A.M.
   7. Wednesday
   8. 9725

6. 1. falso
   2. cierto
   3. falso
   4. falso
   5. falso
   6. cierto
   7. falso
   8. cierto
   9. falso

Capítulo 3

1. mole poblano, enchiladas de pollo, tamales, jugo de naranja, refresco, agua mineral

2. 1. Pablo es amigo de Sara.
   2. El abuelo de Sara viene a las siete.
   3. Elena es hermana de Sara.
   4. Sara, Elena y Julia van en bus al restaurante.
   5. Pablo trabaja de mesero en el restaurante mexicano.
   6. Frida Kahlo y Diego Rivera son pintores mexicanos.

3. 1. F, 2. A, 3. B, 4. E, 5. F, 6. C, 7. G, 8. D, 9. B

4. 1. Italian food
   2. five
   3. no
   4. one o'clock (13:00)
   5. Sunday
   6. 3-57-01-84
   7. Mexico

5.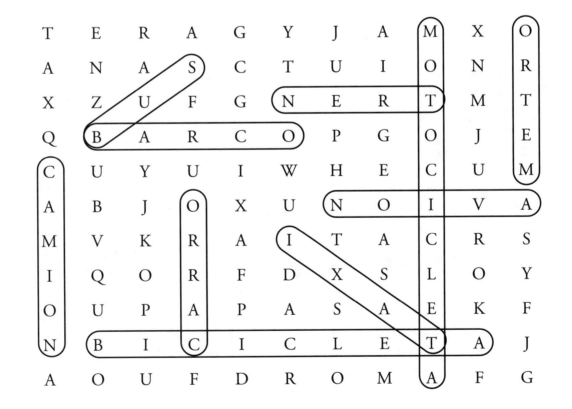

6. 1. Mexico
2. painter (muralist)
3. Guanajuato
4. 1886
5. 1957
6. Academia de San Carlos
7. postimpressionism and cubism

Capítulo 4

1. 1. A, 2. A, 3. C, 4. B, 5. A, 6. C

2. 1. D, G, 2. G, 3. I, 4. L, 5. E, J, 6. B, C, G, K, 7. A, F

3. 1. cierto, 2. falso, 3. cierto, 4. falso, 5. cierto, 6. falso, 7. cierto, 8. falso

4. 1. Vicente Fernández
2. un hermano (Eduardo)
3. Viviana Gaitán
4. tres
5. tío
6. sobrina
7. esposos
8. abuelo
9. nieta

5. 1. Julia
2. diecinueve
3. sábado
4. el 7 de abril
5. a las siete de la noche
6. a las dos de la mañana
7. en la casa de Julia (Carrera 9 #121-46 Ap. 205)
8. dos, catorce, cincuenta y seis, noventa y ocho

6. enseña, Bogotá, trabaja, duermo, once de la mañana, cinco de la tarde, salgo, cine, restaurante

Capítulo 5

1. 1. B, 2. E, 3. G, 4. C, 5. F, 6. A, 7. A, 8. D

2. 4, X, 7, 5, 6, 3, 2, 1

3. 1. José Castañeda
2. Es sicóloga y adivina.
3. abiertos, amables y generosos
4. el vallenato
5. a las cinco de la tarde
6. No, no entra.

4.

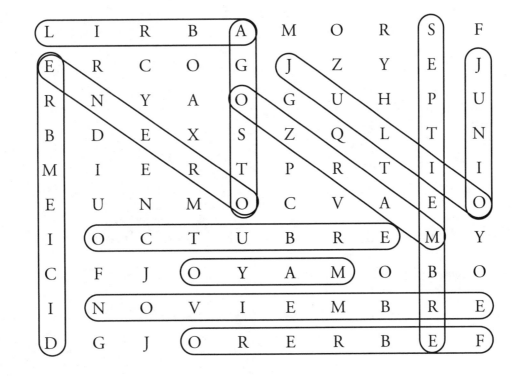

5. 1. Romanceros
2. seis
3. el 20 de abril
4. el 10 de diciembre
5. 2578819
6. el 20 de junio
7. de enero y febrero
8. la novena edición
9. Vallen@to.com (vallenato.com)

6. 1. rock en español
   2. octubre
   3. San José, California
   4. Aterciopelados
   5. cuatro
   6. sí, en Chicago
   7. ocho
   8. en Nueva York *(New York)*
   9. el 17 de noviembre

Capítulo 6

1. tengo que, tengo que, Tienes, tengo, tengo, tiene, Debo

2. 1. PLATOS, 2. CUBIERTOS, 3. CUCHARA, 4. TENEDOR, 5. CUCHILLO,
   6. VASOS
   Key Word: VAJILLA

3. 1. F, 2. C, 3. C, 4. C, 5. F, 6. F, 7. C, 8. F

4. 1. 114
   2. 38
   3. de mesa, de pescado, de lunch, de servir pescado y de servir fuentes
   4. 12
   5. dos tenedores, una pala y una cuchara
   6. 26
   7. 24
   8. Palas
   9. 3.975 pesetas al mes

5. 1. 56, 2. 24, 3. 48, 4 27, 5. 69.000 pesetas, 6. de España, 7. 12

6. 1. tres
   2. Rocafort
   3. 9.500.000 pesetas
   4. España
   5. seis
   6. Rocafort
   7. Jaén
   8. Carpesa y Jaén
   9. 8.000.000 de pesetas

Capítulo 7

1. raro, nublado, sol, hace mucho sol, llueve, hace mucho frío

2. 1. D, 2. H, 3. E, 4. G, 5. B, 6. F, 7. A, 8. C

3. 1. Son de Bogotá.
   2. El mes que viene.
   3. Es casado.
   4. Quiero ser bailarina.
   5. El Sr. Torres (Augusto Torres) es un gran deportista.
   6. Eva está bailando con Diego.

4. 1. de Cartagena
   2. parcialmente soleado
   3. 27 grados centígrados *(82° F)*
   4. 73 por ciento
   5. soleado
   6. 28 grados centígrados *(83° F)*
   7. 22 grados centígrados *(72° F)*
   8. parcialmente nublado (p/nublado)
   9. sí

5. 1. tres
   2. a las nueve de la mañana
   3. de Argentina
   4. no
   5. a las ocho y media de la mañana
   6. uno
   7. la final del abierto de tenis de Australia
   8. Fiorentina vs. Vicenza
   9. patinaje artístico sobre hielo

6. 1. SOLEADO, 2. FRÍO, 3. NUBLADO, 4. CALOR, 5. FRESCO, 6. LLUEVE,
   7. PRIMAVERA, 8. VIENTO
   Key Word: EL CLIMA

Capítulo 8

1. 1. C, 2. D, 3. F, 4. C, 5. A, 6. C, 7. B , 8. E, 9. B

2. 1. falso, 2. cierto, 3. falso, 4. cierto, 5. cierto, 6. cierto, 7. cierto, 8. falso

3. lavar los platos, lavé, colgar la ropa, colgarla, arreglaste, arreglé, saca la basura, sacarla

4.

```
C  A  S  A  D  E  T  E  D  F
S  O  T  N  E  I  M  I  P  Y
E  T  C  Q  U  F  J  M  E  J
R  O  M  A  F  J  G  N  S  H
E  S  A  R  R  O  Z  H  C  E
A  Ñ  S  D  O  N  N  I  A  A
A  Z  F  U  I  P  E  O  D  T
J  C  E  B  O  L  L  A  O  R
O  H  V  C  E  B  O  M  U  I
I  G  U  I  S  A  N  T  E  S
```

5. 1. Valenciana
    2. A Fuego Lento
    3. para todo el año
    4. seis
    5. tres
    6. pollo y conejo
    7. tomates maduros
    8. seiscientos
    9. dieciocho minutos

6. 1. La Fogata
    2. diez
    3. los taquitos rancheros
    4. cuarenta y cinco pesos
    5. los dos tacos de carne asada con frijoles y cebollitas asadas
    6. sopa del día y frijoles
    7. cuatro
    8. los taquitos rancheros
    9. de queso

Capítulo 9

1. 7, 4, 5, 1, 6, X, 3, 2

2. 1. B, 2. C, 3. C, 4. A, 5. B, 6. A

3. 1. Vuelve a México.
   2. Le escribió Marina. Hay una prueba de televisión.
   3. Para comprarle un regalo a Pablo.
   4. el azul
   5. Julia, Sara y Roberto
   6. Porque Sara piensa que Pablo debe volver a México.
   7. Va a hablar con ella. La sorprende.

4. 1. dos
   2. de España
   3. 3450 pesetas
   4. ninguna
   5. Una chaqueta o un pantalón
   6. 3650 pesetas
   7. una camisa y un suéter
   8. los polos *(T-shirts)*

5. 1. de Colombia
   2. 32.900 pesos
   3. café y negro
   4. de cuero
   5. de seda
   6. S-M-L-XL
   7. 112.900 pesos
   8. no
   9. la billetera #1

6. 1. E, 2. A, 3. D, 4. B, 5. G, 6. H, 7. F, 8. G, 9. H, 10. I, 11. B, 12. C

Capítulo 10

1. 1. C, 2. E, 3. B, 4. G, 5. F, 6. A, 7. D

2. 1. F, 2. A, 3. F, 4. D, 5. C, 6. E, 7. A , 8. B, 9. E

3. 1. falso, 2. cierto, 3. falso, 4. cierto, 5. cierto, 6. falso, 7. cierto

4.
1. de Bogotá
2. a México
3. no, para en Miami
4. a las diez y veinte de la mañana
5. el martes
6. para uno
7. ochocientos noventa y dos dólares
8. MX308
9. a las nueve y cuarto de la noche

5.
1. La Universidad Nacional de Colombia
2. en cinco
3. en la sede Arauca
4. Santafé de Bogotá
5. en la facultad de medicina
6. Arauca y Santafé de Bogotá
7. en Medellín
8. en la facultad de arte

6.
1. en Panamá
2. el 15 de abril
3. golf
4. 250 dólares
5. el 14 de diciembre
6. 285 dólares
7. Suite Garden